CLAUDE MAURIAC

CONVERSATIONS
AVEC
ANDRÉ GIDE
EXTRAITS D'UN JOURNAL

ÉDITIONS
ALBIN MICHEL

CONVERSATIONS
AVEC
ANDRÉ GIDE

DU MÊME AUTEUR

INTRODUCTION A UNE MYSTIQUE DE L'ENFER. (*L'Œuvre de Marcel Jouhandeau.*) Bernard Grasset, 1938.

JEAN COCTEAU OU LA VÉRITÉ DU MENSONGE. Odette Lieutier, 1945.

AIMER BALZAC. « La Table Ronde », 1945.

LA TRAHISON D'UN CLERC. (*Réponse à Julien Benda.*) « La Table Ronde », 1945.

MALRAUX OU LE MAL DU HÉROS. Bernard Grasset, 1946.

ANDRÉ BRETON. Éditions de Flore, 1949.

ANDRÉ GIDE ET FRANÇOIS MAURIAC
à Aix-en-Provence (1949)

CLAUDE MAURIAC

CONVERSATIONS
AVEC
ANDRÉ GIDE

(EXTRAITS D'UN JOURNAL)

ÉDITIONS ALBIN MICHEL
22, rue Huyghens, 22
PARIS

IL A ÉTÉ TIRÉ DE CET OUVRAGE :
60 EXEMPLAIRES SUR VELIN DU MARAIS,
DONT 50 NUMÉROTÉS DE 1 A 50,
ET 10 EXEMPLAIRES NOMINATIFS
(HORS COMMERCE)

C
221982
French

A mon père
dont le témoignage
répond ici à celui
d'André Gide

I

PARIS

Nous entrions, Jean Davray et moi, au café du Rond-Point des Champs-Élysées, lorsque mon ami me désigna un homme assis, seul, à une petite table, et murmura : « C'est André Gide... » Je le reconnus aussitôt. Il y avait deux places libres, séparées de lui par le seul couloir de passage et nous nous y assîmes.

Je considérais cet homme avec joie. Si souvent j'avais voulu le voir ! Et il était là devant moi, frileux, ayant gardé son manteau, avec un gros chandail de laine passant sous son veston marron et couvrant le haut du poignet...

Je me levai : « M. Gide, n'est-ce pas ? » Ses yeux s'abaissèrent. Tout s'éteignit sur son visage. J'eus l'impression d'avoir apeuré une tortue. Carapacé, le visage sans regard, immobile, terreux, il laissa échapper entre ses dents un « oui » furieux...

« — Je suis le fils de votre ami François Mauriac... » Phrase magique qui redonne la vie à cette figure de bois : « — Excusez mon accueil... Vous

11

comprenez, n'est-ce pas, que je doive me défendre... »
Il me demande des nouvelles de mon père. Je suis un
peu gêné et n'ai plus qu'une envie : fuir. Mais je
ne veux pas prendre congé avant de lui présenter
Jean qui en brûle d'envie : « Davray, dites-vous...
C'est donc vous qui avez écrit un livre sur Michel-
Ange ?... Mais oui... et je vous ai envoyé une lettre
à ce sujet... Un bel essai... Je l'ai fait beaucoup lire
autour de moi... » ... Début d'entente. Et voici qu'il
n'existe plus nulle timidité entre nous : la politique,
notre attitude essentiellement conforme à ce sujet,
nous rapprochent. Garçons et clients, en passant
entre nos tables, coupent la conversation qui, après
ces brèves éclipses, continue.

— J'avais déjà beaucoup d'estime pour votre
père. Mais je l'admire plus encore depuis trois mois.
Ses articles du *Figaro* ont une im-por-tan-ce con-si-
dé-ra-ble... Il faut, pour les publier, un ex-trê-me
cou-ra-ge, oui, un courage ex-tra-or-di-nai-re. Et
cette qualité est aujourd'hui si rare qu'on est obligé
de tirer bien bas son chapeau...

Je réponds, faisant allusion à sa rupture avec le
communisme, à la suite de son voyage en U. R. S. S. :

— Mon père sera sensible à cet éloge : il lui
vient de quelqu'un qui a prouvé d'une façon écla-
tante son courage. Et quel courage ! D'autant plus
méritoire qu'il vous faisait encourir l'accusation la
plus pénible pour un homme, celle de trahison.
Car ces foules communistes sont de bonne foi.
Vous avez leur amour. Et pour servir ce que vous
considérez être la vérité, vous n'hésitez pas à
rompre...

Gide a fait, de la main, un petit geste humble;
puis il a dit :

— Vous savez, le courage, c'est une habitude...
Lorsque je l'avais abordé, il m'avait avoué, après
les premiers mots : « ... Ne le dites pas à votre
père. Mais j'ai été deux fois au cinéma ce soir...
J'ai vu *Drôle de Drame*, puis la *Dame de Malacca*. Je
me sentais si abandonné, si seul... » Et maintenant,
le cinéma nous est une occasion de parler de ce
monde en guerre. Les actualités de Chine ont fait
sur Gide l'impression que nous avions aussi res-
sentie...

— J'ai du reste failli faire appel à votre père,
avant-hier, pour lui demander une signature. Mais
j'ai eu peur de le déranger... Il s'agit du procès des
membres du P. O. U. M., en Espagne.

— Le Parti Ouvrier d'Unification Marxiste ? Je
suis au courant... J'ai lu dans *La Flèche* le compte
rendu des commissions d'enquêtes envoyées là-bas.
Nin assassiné... Un simulacre de procès se pré-
parant sur l'ordre de Moscou...

— Vous lisez donc *La Flèche* ? J'en suis heureux.
C'est un journal de vérité. (En disant cela, Gide,
pour la première fois me regarde avec sympathie.
Ses yeux brillent. Il y a, dans la façon dont il me considère, quelque chose de très humain dont je suis
ému. Visiblement, il pense : « C'est donc un des
nôtres... Non le petit fasciste que je croyais... »)

— Que n'y écrivez-vous ?

— Bergery me fait peur. C'est tout de même un
politicien. Et puis, il ne faut pas s'engager avec
imprudence...

13

— Vous avez montré que vous savez vous dégager...

— Oui... Mais on se fait ainsi une réputation de... girouette. Pour en revenir à notre propos, puisque vous êtes au fait de cet emprisonnement scandaleux des membres du P. O. U. M., je vous dirai que Martin du Gard, Paul Rivet, Georges Duhamel et moi voulons envoyer un télégramme pour demander cela seulement : que la défense soit assurée aux prévenus... Il n'entre, dans cette requête, rien de politique.

— Je pourrai, si vous le voulez bien, en parler à mon père en votre nom...

— J'accepte avec empressement... Sa signature serait si utile... Il n'est pas trop tard...

Il a soudain un autre visage; les dents serrées sur un sourire étrange et dur, les yeux incandescents, il dit : « Je préfère la méthode hitlérienne. L'assassinat de Roehm était une chose monstrueuse, mais accomplie face à l'univers. Hitler niait la justice directement. Il n'avait pas honte de la loi honteuse dont il usait. Tandis que rien n'est plus abominable que les simulacres des staliniens. Ils jugent ceux qu'ils ont condamnés d'avance. Spectacle dérisoire, mascarade... »

Il nous parle alors de l'U. R. S. S. Avec quelle amertume !

— Aucune raison d'opportunité ne me fera accepter le mensonge et le crime.

Je lui dis que la sincérité d'un André Chamson est désarmante. Gide acquiesce, ajoutant qu'il est un peu naïf, notre Chamson. Mais lorsque je lui

demande s'il croit les dirigeants du Parti communiste français sincères, il est perplexe. C'est une
question qu'il n'a pas lui-même élucidée. Mais il y
a les autres : les militants de la base...

— Vous me parlez des communistes de bonne
foi... Ils me haïssent. Qu'importe : d'ici deux ans, ils
seront convaincus... On m'avait dit après mon premier livre (Gide parle de son premier livre, et ce
n'est pas à *André Walter*, mais à son premier écrit
sur l'U. R. S. S. qu'il fait allusion !) : « Alessandri,
en une heure, a démoli chacun de vos arguments.
De votre démonstration, il ne restait *rien*... Or, j'ai
vu Alessandri il y a peu : il m'a dit : je reconnais
m'être égaré. C'est vous qui aviez raison. » Alessandri est maintenant professeur au Lycée Hoche.
Puisque vous me dites être souvent à Versailles,
puisque vous êtes lecteur de *La Flèche*, donc que vous
comprenez ces choses, allez le voir de ma part. Vous
en tirerez un grand profit. Connaissant André
Chamson, il vous serait peut-être possible de lui
présenter Alessandri. Confrontation qui ne man-
querait pas d'intérêt...

André Gide se lève. Il prend congé avec affabilité,
disant : « J'ai beaucoup hésité à entrer ici, je sais
maintenant pourquoi j'y suis venu... »

Je le considère une dernière fois, avec une sorte de
stupeur comblée. Ce matin même, je lisais des lettres
où Jacques Rivière parlait de lui : « Gide est arrivé
vers deux heures moins le quart avec toujours son
exquise simplicité... » Et soudain, devant moi, Gide,
vivant, présent, exquisement simple.

Vendredi, 22 octobre 1937.

Je repense à André Gide, à ce solitaire habillé avec une négligence emmitouflée qui n'allait pas sans chic : « ... Je me sentais si abandonné, si seul... » Combien la vieillesse doit lui être dure... Cet isolement au cœur de la plus grande gloire... Tristesse des soirées semblables à celle-ci : deux cinémas différents, un léger souper. Et autour de soi une foule qui vous ignore, un monde aveugle. Ce doit être un peu comme si on était mort, déjà...

Il disait : « ... J'étais un abonné de *Sept* que je considérais comme un journal d'une extrême valeur... J'ai appris avec une véritable joie que votre père s'emploie à le faire renaître... » Et comme je lui parlais de mon ami Frédéric : « — Il m'a écrit une première lettre qui était un chef-d'œuvre, d'écriture comme de pensée. La seconde m'a déçu... Ce qu'il voudrait c'est établir une correspondance régulière. Or cela il n'y faut pas songer... » Pourtant, je vis que Frédéric ne lui était pas indifférent, lorsque, ayant tiré une liasse de papiers de sa poche, André Gide me tendit une feuille où je reconnus la trop sage et trop lisible petite écriture violette de mon ami. Gide lut la date : « 18 septembre... C'est déjà loin et je l'ai toujours sur moi... Dites-le-lui... » (...)

J'eus beaucoup moins de peine que je ne l'aurais cru à emporter la signature de mon père pour le message de Gide. Comme j'avais attentivement lu dans *La Flèche* les divers rapports de la commission d'enquête envoyée en Espagne au sujet de la dispa-

rition de Nin, je pus lui expliquer l'affaire. Georges
Duhamel lui en avait du reste parlé, ce qui avait
préparé le terrain.

J'écris aussitôt à Gide, de la part de mon père, et
vais mettre la lettre à la poste. Heureux d'avoir pu
être, dans ces circonstances, de quelque utilité... (...)

Faisant allusion à mon entrevue avec Gide, mon
père dit : « Voilà la merveille de Paris, ce que la
province ne donnera jamais : ces rencontres de
hasard, lourdes de signification et de poésie... »

Samedi, 23 octobre 1937.

(...) L'autre soir, au Rond-Point, Gérard Bauër,
entouré d'amis, nous dévisageait avec intérêt, Gide,
Davray et moi. Nous le saluâmes d'un signe de tête,
un peu fiers d'être vus en compagnie d'un si grand
homme... Or, dans *Le Figaro* de ce matin, le Guer-
mantes quotidien évoque cette soirée des Champs-
Élysées :

« (...) *On naît badaud ; et il y a une race d'artistes
badauds dont les œuvres, tout inspirées par la vie, en
gardent comme un brillant, les reflets actifs : et puis, il est
une autre race d'artistes peut-être plus réfléchis qui,
ayant observé une fois les hommes et l'existence, se satis-
font de cette observation et l'approfondissent en pensée et
en tirent toutes les conséquences nécessaires à leur art...
Certains philosophes peuvent se priver de toute badau-
derie ; et même quelques romanciers...*

« *Le hasard m'a fait, l'autre nuit, rencontrer M. André*

17

2

Gide dans un café. Il parlait à un disciple, les yeux baissés et ne regardait rien. Moi, qui suis badaud, je l'ai regardé longuement et je pensais qu'il eût pu parler de la même façon s'il avait été dans une cellule, parce qu'il suit sa pensée avant de suivre les choses. Son théâtre est tout intérieur. Et quand il regarde les choses, tardivement, il peut être déçu comme il vient de l'être en Russie. Stendhal, lui, amant de la variété de la vie, du premier coup, ne s'y serait pas trompé. »

Mon père a raison : ces rencontres sont d'une grande poésie. (...)

Dimanche, 24 octobre 1937.

(...) J<small>E</small> téléphone chez Gide pour savoir si l'adhésion de mon père est arrivée à temps. Comme on me répond qu'il a quitté Paris, j'appelle Duhamel, au cas où ma lettre n'aurait pas atteint Gide avant son départ. C'est d'abord au bout du fil la voix de Madame Duhamel, un peu étonnée que je demande son mari; puis vient Georges Duhamel lui-même. Il se réjouit de pouvoir joindre aux signatures de Paul Rivet et d'André Gide celle de mon père. « Téléphonez à Magdeleine Paz : c'est elle qui est chargée d'envoyer le télégramme. Puis, ayez l'amabilité de me rappeler : je suis anxieux de savoir ce qui en est... »

Magdeleine Paz m'apprend que la dépêche est partie depuis trois jours. Nous tombons d'accord sur la formule d'un nouveau télégramme. Quelque chose comme : « Me solidarise de tout cœur avec

Gide, Martin du Gard, Rivet et Duhamel. Signé :
Mauriac ». (Le texte a paru dans la presse sous la
forme suivante : « *Cinq intellectuels français ont envoyé
le télégramme suivant au gouvernement Negrin-Prieto :
Demandons instamment au gouvernement espagnol d'assu-
rer à tous accusés politiques garanties de justice et particulièrement franchise et protection de la défense. Avec
nos sentiments très attentifs.* André Gide, Georges
Duhamel, de l'Académie Française; Roger Martin
du Gard, François Mauriac, de l'Académie Française; Paul Rivet. »)

2 Novembre 1938.

Reçu une belle lettre d'André Gide. Ne puis
résister au plaisir de la recopier en entier :

Mon cher Claude Mauriac,

*J'ai stupidement égaré votre livre avant d'en avoir
achevé la lecture. J'aime lire en marchant ; mais cela me
joue parfois de mauvais tours. Entre les mains de qui le
livre aura-t-il pu tomber, avec son exquise dédicace qui
permettrait de me le restituer, mais aussi bien de le
revendre ! Horreur !*

*Quoi qu'il en soit, comme déjà j'en avais fort attenti-
vement lu plus des trois quarts, je puis déjà vous dire
l'écho profond que presque tout ce que vous y formulez si
bien trouve en moi. Le livre m'a paru bien pensé, bien
senti, bien écrit ; vous y faites preuve d'une extraordinaire
maturité d'esprit... et de cœur — maturité que je retrouve
dans les quelques articles que j'ai lus de vous ; je songe en*

particulier à votre « Réponse à Bernard Lecache » dont la mesure, l'équité, la pondération surprennent lorsqu'on songe à votre jeune âge. Je veux que vous sachiez avec quelle attention et quelle affection je vous suis. J'espère vous revoir ; si bon que soit le souvenir que j'ai gardé de notre rencontre au Rond-Point des Champs-Élysées, je sens bien à présent que nous aurions pu parler bien davantage encore et bien mieux.

ANDRÉ GIDE.

Mardi, 8 novembre 1938.

NOUVELLE lettre de Gide en réponse à celle que je lui avais écrite aussitôt :

« *Mais non ! Grâce à nos livres, il n'y aura aucun écran entre nous ; et ni timidité, ni gêne non plus de votre part que de la mienne. J'ai même pensé qu'une réunion avec Jouhandeau... Mais je préfère vous voir seul tout d'abord et... seriez-vous libre demain Mercredi, vers la fin du jour ? Vous viendriez sonner à ma porte, vers 4 h. 1/2, avec quelle émotion je vous accueillerais...* »

Mercredi, 9 novembre 1938.

RUE VANEAU. André Gide vient me chercher dans la petite pièce où la secrétaire m'a introduit. Muet, glacé, intimidant, il me désigne d'un geste large le long couloir où il s'engage à ma suite. « Une lettre à signer. Vous permettez ? » Et il s'en va...

Demeuré seul, je regarde cette haute pièce tapissée de livres. Le jour tombe. La petite baie ouvre sur des jardins embrumés, des toits gris... Deux minutes, et Gide reparaît détendu, allègre : il me donne la main avec affabilité. En fait, il commence seulement à me voir. Tout de suite, il me parle de Jouhandeau. (Je sais, par Jouhandeau lui-même, que Gide, après un très long silence, vient de lui donner signe de vie. Impossible de ne pas voir dans cette reprise de contact entre les deux hommes l'influence de mon livre.) « Il m'a invité à dîner pour demain, me dit Gide. Vous qui connaissez sa femme... Remarquez, je l'ai souvent vue autrefois, mais jamais en ménage, vous comprenez... » Je lui explique que Jouhandeau semble aimer montrer Élise en spectacle. Gide passe la main sur son glabre menton, il dit : « C'est bien ce que je pensais... Du reste, il m'a fait savoir qu'il viendrait me prendre ici pour que nous puissions nous voir un moment seuls... »

Je devine Gide intimidé à la pensée de cette rencontre. Il a peur des silences, des regards d'Élise. Il dit : « Vous qui connaissez la maison, ne pourriez-vous pas vous faire inviter ? » Je lui réponds que ce serait une grande joie pour moi que d'assister à ce dîner, mais que son intervention à lui, Gide, serait préférable : il faut que Jouhandeau puisse refuser, au cas où il aimerait mieux revoir seul, après une telle séparation, son ancien ami. Gide en convient. « Cela risquerait d'être très amusant, ajoute-t-il, cette entrevue à trois. N'est-il pas vrai ? » Je le regarde. Le visage est posé sur la main, âpre, sévère, avec une sorte de tendresse, quelque chose d'enfantin.

« Jouhandeau vous a donné l'occasion d'écrire un livre intéressant. J'en suis heureux pour lui : il n'a pas, et de loin, la place qu'il mérite... » Il avoue être stupéfait de « l'indis-cré-tion » des *Chroniques maritales*, qu'il trouve moins réussies que les précédents livres : « Il y a des passages très mal écrits, ce qui étonne pour qui connaît la langue admirable de Jouhandeau... La fin est écourtée. Il a raté là quelque chose de magnifique, un roman extraordinaire... » Puis il parle avec une sorte de stupeur amusée de cet étonnant ménage : « Un cas unique et qui méritait vraiment d'être... » (...)

Gide évoque maintenant mon article de *La Flèche* sur la question juive qui lui a parfaitement convenu et dont Madame Roger Martin du Gard est paraît-il emballée. Il me demande de l'envoyer de toute urgence à Jean Schlumberger qui prépare un article sur le même sujet pour la *N. R. F.* « Sa conception pourra par cette lecture être légèrement et profitablement modifiée... » Comme je le mets au courant des répercussions inattendues de ce papier pourtant si philo-sémite, se manifestant en particulier par des lettres furieuses, il me dit (sur le même ton exactement, et presque dans les mêmes termes que mon père ce matin) — « Ce sont vraiment des gens effrayants... Comme si la question était résolue parce qu'on la supprimait artificiellement ! » Et d'évoquer le bon C. — (« Avec le physique que vous savez, cet air de marchand de tapis... ») qui prétend qu'entre un Juif et un non Juif il n'y a aucune différence, même extérieure...

A propos de *La Flèche*, il se plaint, fort justement,

de ce que Bergery ait publié sans l'en avertir une lettre
de lui. (Mon père n'a jamais pardonné à Fernandez
d'avoir fait la même chose.) Gide me cite d'autres
« maladresses » de Bergery; il lui laisse le bénéfice de
la bonne intention. Nul doute pourtant qu'il ne
veuille que je lui répète ce qu'il vient de dire : il
insiste pour savoir si je vois Bergery, si je lui parle,
etc. Tout cela enrobé de politesses. « Aucune importance du reste... je ne voudrais pas l'ennuyer... »
Pensée d'apparence insignifiante, mais si incisive au
fond... Et fuyante !

Comme je lui demande ce qu'il fait en ce moment,
il me montre les épreuves de son *Journal* qu'il se
décide à publier : « Bien que je sois infiniment plus
discret que Jouhandeau, je suis tout de même bien
audacieux et cela m'inquiète pour ces honnêtes éditions de *La Pléiade* ! J'ai naturellement beaucoup
coupé. Certaines parties de ma vie sentimentale,
très particulièrement. Mais ce qui demeure est tout
de même parfois fort osé... » Je l'interroge pour lui
demander comment il écrit son journal. « De façon
très irrégulière, me répond-il... Je ne recours à lui
qu'aux périodes où je me sens particulièrement
vulnérable. Il m'aide à me sauver; il réussit vraiment ce miracle : me remettre à flot. Ainsi, après le
deuil que vous savez et qui a eu lieu depuis notre
rencontre des Champs-Élysées... » A la pensée de
sa femme, son visage s'assombrit. Les joues tom-
bent, une sorte de pâleur tragique, frémissante :
« ... Oui, j'ai été anéanti... Vraiment, je n'ai plus
existé... Je renais à peine... Sans mon journal... »
Puis, il se ressaisit et me reparle de cet aspect un

peu trompeur de son journal, dû à cela seulement
qu'il ne l'écrit jamais dans les périodes de calme,
celles où il peut travailler. Puis c'est ce dialogue :

A. G. — Et vous ?

C. M. — Moi aussi j'écris mon journal, chaque
soir même, sans passer un seul jour depuis le 1er janvier 1930...

A. G. — Comme vous avez raison ! Mais réus-
sissez-vous à être sincère ?

C. M. — Au début, je l'étais toujours. Maintenant, je le suis beaucoup moins. Il s'agit d'une sorte
d'instinct de défense, d'une prudence indispensable.
Il est pénible de vous avouer cela, à vous dont la
sincérité est telle...

A. G. — Oh ! vous savez, je connais ces difficultés ! Et puis, il y a ceci qui m'est arrivé : un jour,
j'ai pensé que mon journal pourrait être publié. Dès
lors, il est devenu autre, malgré moi... En outre, on
fait, à son insu, un choix dans ses pensées du jour.
On met d'une page à l'autre une continuité qui
existe, certes, dans la vie mais à l'état moins pur. Il y
a ainsi des périodes de mon existence où mon
journal ne parle que de problèmes religieux, d'autres
d'émotions sentimentales, d'autres encore de questions sociales...

Légère allusion alors à son expérience communiste.
« Vous avez raison, me dit-il, de ne pas vous inscrire
chez Bergery, bien que son équipe soit la seule
sympathique : ne jamais s'inscrire à un parti ! » —
Nous parlons du marxisme. Je lui raconte qu'Alessandri m'avait appris qu'il était à ce sujet beaucoup plus érudit qu'on ne le croyait. Gide sourit

humblement. Il a l'air flatté. Il dit cependant : « J'ai
fait un loyal essai... Mais je n'ai pas pu aller plus
loin que le sixième volume du *Capital*... » Il me parle
aussi de notre rencontre des Champs-Élysées (que
d'hypothèses dans cet esprit inquiet : « Étiez-vous
bien là par hasard ? »), de Jean Davray, de mon père
— (« Je sais bien qu'il m'aime... Lui seul peut du
reste me comprendre à certains points de vue...
Tristesse de ne plus jamais le rencontrer... Peut-être
servirez-vous de trait d'union entre nous ?... »)

Au cours de la visite, la sonnette de la porte
retentit. La secrétaire étant partie, Gide m'envoie
ouvrir. Un jeune homme me tend une carte, qui
sollicite deux minutes d'entretien. « Je vais voir si
Monsieur Gide est là... » Il est au bout du couloir,
Gide, aux aguets, le cou tendu derrière l'encoignure.
(Tout à l'heure, il me disait : « Je suis si curieux...
Cela me perd... J'éloigne les importuns... Mais je
veux tout de même savoir qui est là !) Il prend la
carte. Il me dit : « Hugues Fouras... *La Bouteille à la
mer*... Vous connaissez ? » Je lui réponds que c'est
une revue de jeunes poètes assez sympathiques.
(Je sais que mon père présida naguère un de leurs
dîners.) Sur cette assurance, Gide me quitte. Je
rédige la dédicace du nouveau livre que je lui ai
apporté. Presque aussitôt, Gide est de retour : «... Il
voulait que je préside un dîner... Au-dessus de mes
forces... Impossible... »

Le moment vient où je sens qu'il faut partir.
Je prends donc congé, mais auparavant, Gide
téléphone devant moi à Jouhandeau pour lui demander de m'amener demain. Voix grésillante d'Élise :

« De la part de qui ? » Les dents serrées, il prononce alors de cette façon qui n'est qu'à lui : « De Monsieur Gi-de »... Mais Jouhandeau n'est pas là... Gide me téléphonera s'il a une réponse affirmative...

Voilà. Cela aurait pu mieux marcher. Il y a eu des instants vides où la timidité nous anéantissait l'un et l'autre, ce qui contrastait avec ceux où nous avions au contraire chacun tant de choses à dire. Nul abandon, nulle véritable confiance. Et pourtant l'impression dernière est plutôt bonne...

Au cœur du silence, ce cabinet confortable. Je songe à l'écart qu'il y a, là encore, entre la pensée et la vie. Ce socialiste mourra bourgeoisement. Il n'y a plus place dans cette existence pour l'imprévu. Quel contraste avec M. Godeau ! L'autre soir, tandis qu'Élise et lui se livraient en ma présence à une de ces habituelles disputes de ménage faites sur mesure pour l'étranger, avec un art grand-guignolesque et pourtant tragique, je songeais au drame qui pesait sur cette maison. Tout pouvait arriver à ces deux possédés. Elle parlait d'entrer au couvent. Mais moi, je ne sais pourquoi, j'imaginais un beau crime, ou tout au moins une mort violente.

Jeudi, 10 novembre 1938.

Lorsque j'arrivai rue du Commandant-Marchand, Gide était déjà là qui feuilletait l'album où Jouhandeau a collé photographies, lettres et autres reliefs émouvants et pâlis d'autrefois. Gide était assis; Jouhandeau, debout à ses côtés, épiait ses réactions.

Ai-je inventé ceci ? Il m'a semblé en tout cas devi-
ner sur le visage d'André Gide et dans les quelques
phrases aimables que certaines photographies lui
arrachaient, une imperceptible ironie. L'attentive
figure de Jouhandeau penchée sur lui était grave.
Elle ne portait pas à rire. Mais du minutieux arrange-
ment de son album, de ses commentaires fervents,
de toute l'application méthodique de cette entreprise
pieuse, il se dégageait une sorte d'enfantillage, dont
je me sentis confus au regard de Gide : comme si
j'étais responsable de la grandeur de Marcel Jouhandeau, comme si mon témoignage eût seul milité
pour lui et qu'on eût risqué de me dire : « Vous nous
avez trompés ! Il n'y a chez cet homme nul génie... »
André Gide, heureusement, connaissait l'œuvre de
son hôte, il l'aimait. Cette pensée me rassura...

Élise arriva, habillée comme un cheval de cirque,
bichonnée, fardée, en grande tenue de séductrice,
avec d'étranges grappes d'or sur les seins. Elle dit
aussitôt à Gide la part qu'elle avait prise à son deuil
— sur un ton si claironnant et avec une telle allégresse que nos visages se tendirent...

Il fallut redescendre pour dîner. Le repas était
servi dans un coin de ce somptueux salon du rez-
de-chaussée, où meubles, bibelots, abat-jour et
coussins témoignent d'un lyrisme triomphant. Le
service ne se déclencha qu'après de longues hésitations, et de mystérieuses allées et venues d'Élise ou
de son mari. Longs silences, conversation pénible.
Je ne trouvais rien à dire, je préférais ne rien dire.
Mais peu à peu, le ton des discours prit de l'ampleur,
et ce fut bientôt l'extraordinaire représentation que

j'avais attendue, où le ménage déploya tous ses charmes, et Gide son attention.

Sur son père, sur sa mère, Élise raconta avec un tranquille cynisme d'épouvantables histoires. Elle nous dit comment sa mère sut tenir en respect le sadique qui voulait la violer : « Elle le laissa approcher, près, très près, et tout à coup crrrrr... elle lui enfonça une paire de ciseaux dans le corps. Il s'enfuit tout sanglant. C'est le même qui terrorisait sa femme et nul, au village, n'avait le courage d'intervenir. Ma mère, lors d'une dispute particulièrement chaude, décida d'avoir cette hardiesse. Elle entra dans la maison : la malheureuse était là, la joue pendante, arrachée. Alors ma mère se dirigea tout droit sur le misérable mari. Elle avait une pioche à la main, dont elle lui asséna un coup prodigieux... Cet homme a fini du reste par tuer sa femme. Il est au bagne... » Élise évoque à ce propos les hommes baveux, suants, qui voulurent elle aussi la violer. « Il n'y a pas si longtemps, interrompt celui qu'elle appelle pompeusement *mon époux*, qu'elle s'était éloignée dans le bois... Je n'insiste pas... Et elle vit un homme... » Élise lève les yeux au ciel. Elle proclame pour la vingtième fois son dégoût de l'humanité, avec quelques phrases bien senties dans le genre de « Ah ! là là, j'en suis revenue des hommes ! » Lorsqu'elle en vint à la scène (que Jouhandeau a racontée dans les *Chroniques maritales*) entre elle et son père, qu'elle n'avait pas revu depuis une vingtaine d'années et qu'elle ne fit même pas asseoir, son discours se fit épique. « Il avait tout perdu, il ne possédait plus rien : c'était bien fait pour lui. Je le lui

ai dit. » — « Vous le lui avez dit ? » — « Oui, je le lui
ai dit. Et je lui ai fait comprendre, malgré ses pleur-
nicheries... » — « Il s'agit bien de votre père ? »
— « De mon père, oui, à qui j'ai fait sentir qu'il
ne serait jamais pardonné par la fille qu'il avait
abandonnée. Il est parti... » — « Et alors ? » — « Et
alors, c'est tout. Il n'est jamais revenu... »

Alors Jouhandeau, calmement : « Il est peut-être
mort... » — « Peut-être », dit Élise. Et son visage
resplendit d'une sauvage indifférence.

Pendant ce temps, André Gide écoute avec attention. Il pose parfois une brève question, ou reprend
la fin d'une phrase de Madame Jouhandeau, ou
bien encore, il laisse échapper entre ses dents serrées,
un *oui* étonné, grave et mystérieux. Il arrive aussi que
nos regards se croisent et que la même complicité
nous réunisse une seconde : un peu d'ironie, beaucoup de stupeur. Chez l'un et chez l'autre, le contentement de pouvoir se dire qu'un témoin est là qui
assiste comme vous à ces minutes étonnantes. On ne
pourra nous accuser tous les deux d'avoir rêvé.

Jouhandeau, lui, suit le discours de sa femme avec
ferveur. Dans ce visage calciné de moine déterré,
les yeux minuscules sont deux braises ardentes. Cet
homme brûle vivant. Il se consume, et pour le
moment, il se consume d'admiration et, qui sait,
d'amour. Jamais je n'avais compris comme ce soir
l'ascendant, le prestige d'Élise sur M. Godeau. Non,
le Diable n'est plus seul à le posséder... Cependant,
elle continue : « Un soir — je devais avoir onze ans
— mon père arriva au milieu de la nuit. Il réveilla
ma mère. Il vint nous chercher, ma sœur et moi. Il

dit : « Je veux du champagne pour tout le monde. »
Affolée, ma mère s'écria qu'il était ivre. « Ivre,
moi ! » Et saisissant une lampe à pétrole, mon père la
mit en équilibre sur sa tête, et il dit : « Regardez si
je suis ivre... » Alors, continue Élise, je l'ai regardé,
et je ne me souviens pas d'avoir méprisé un homme
comme je l'ai méprisé à ce moment... »

« Je devais avoir treize ans lorsque je lui dis : « Tu
as des maîtresses, je le sais... » Et qu'il m'a répondu :
« Que veux-tu, ta mère a de trop vilains chapeaux... »
Il nous abandonna, il partit pour la Russie. Il s'y
trouvait lorsque éclata la révolution. Il aimait les
oiseaux rares. C'était sa joie, son bonheur. Il en avait
plein une volière. Lors d'une visite domiciliaire,
un bolchevik a dit : « Je veux que tout le monde soit
libre », et il a ouvert cage et fenêtres : les oiseaux
sont tombés foudroyés par le froid avant d'avoir
pu même ouvrir les ailes... » Ce beau symbole amuse
Gide et enthousiasme Jouhandeau. Élise, infatigable,
en vient à ses locataires. Elle nous les dépeint l'un
après l'autre; et cette suite grotesque et magnifique
me fait penser une fois de plus : on a seulement les
rencontres que l'on mérite...

Gide lui-même m'en apporte une preuve nouvelle.
C'est à son tour de parler. Il le fait lentement, d'une
voix qui s'affirme et ne veut admettre aucune inter-
ruption. Il insiste sur certaines syllabes. Il escamote
les autres. Entre ses dents serrées, la parole sort
tant bien que mal, martelée, déformée, étrange,
pourtant magnifiquement articulée. Lui aussi eut
donc dans sa vie les rencontres que seul il pouvait
apprécier. Témoin ce prodige qu'il nous expose —

très simplement : un berger des Pyrénées couvrit de son écriture une multitude de cahiers. Journal étonnant, où on le voit vivre dans son village, dans la montagne, où on le voit créer une religion nouvelle qui personnifie l'âme de son troupeau... Et le prodige, c'est que ce document soit tombé dans les mains d'André Gide : « Quelle *ma*gnifique, quelle ex*trao*rdinaire *hi*stoire... Un jour, une de ses *bre*bis tombe dans un *ra*vin et *meurt*. Il est alors saisi d'une crise d'*é*rotisme *boule*versante et qui dure *tant* que demeure chaud le cadavre. A la suite de cette aventure, il *posséda* l'une après l'autre toutes bêtes de son troupeau, et jusqu'au bouc. Une page *étonnante* de son *Journal* relate aussi l'aventure amoureuse qu'il eut avec une *truite*. Ce jeune homme était poursuivi par l'idée de son im*puis*sance. Il y a à ce sujet des pages merveilleuses. Il *épiait* les filles du village ; il connaissait tous leurs secrets qu'il rapportait avec *am*our... Il *fai*sait des vers aussi, des alexandrins, et qui n'*étai*ent pas si *mau*vais... Si je publie des extraits de ce journal (à tirage restreint et comme un *cas* médical) j'expliquerai ce qui est à mon *sens* in*téres*sant dans un *tel* destin : comment un garçon qui n'a eu *au*cune instru*ction* religieuse d'*au*cune sorte crée une re*li*gion, voilà qui est passionnant... » Gide raconte que Montherlant a été fort intéressé par cette histoire. Montherlant qui suggère qu'entre taureaux et toreros... Et qui ne met pas en doute que tous les bergers... Gide se plaint de ce que Montherlant ait voulu utiliser publiquement ce que lui, Gide, lui avait dit à ce sujet. Visage réprobateur, visage tendu de Gide : lourd menton, bouche crispée...

Mais comme il devient beau lorsqu'il en vient aux Juifs ! A l'heure où nous parlons, toutes les rues juives de toutes les villes d'Allemagne sont saccagées avec une rage méthodique. Vengeance ignoble, à la suite du meurtre, à Paris, d'un attaché d'ambassade par un Juif polonais. L'image des synagogues en flammes, des magasins éventrés, la pensée de cette douleur immense de tout un peuple nous poursuivaient et nous n'osions pas en parler... Mais Élise accuse Blum d'être la cause de l'état déplorable où elle voit la France et l'humanité. Une sorte de satisfaction l'habite : « Moi, j'aime les pauvres... Ma table à moi est ouverte aux pauvres... » Jouhandeau est gêné. Il se fait tout petit. « N'exagère pas, chérie,... tu exagères toujours... » Mais elle continue sur le même ton. Le visage de Gide cependant s'assombrit. Il est maintenant plus tendu encore qu'au moment où il accusait Montherlant. Mais il est beau, tragique, si dur, avec une sorte de stupeur, peut-être de douleur... Jouhandeau sent qu'il perd l'ami qu'il croyait avoir retrouvé. Jusqu'à la fin, Gide demeurera maintenant sur ses gardes. Il ne se livrera plus. Pour le moment, il accuse les antisémites. Ceux qui sont de ses amis lui font une peine immense parce qu'ils donnent aux passions de nouveaux prétextes... Quoi qu'il arrive, ils sont déjà parmi les responsables... Alors, c'est une sobre description, mais pathétique, des douleurs de ce peuple traqué : « Avez-vous lu l'article du petit Claude ? Le *petit* Claude a *écrit* sur ce sujet un article *re*marquable... » Non, Jouhandeau ne l'a pas lu. Il ne lit aucun journal. Même pas ceux auxquels il collabore. (...)

Élise place une phrase ici et là. Nul n'y fait attention. Sur la figure de Gide, que de brefs tics parcourent, une ferveur nouvelle. Il parle de la grandeur de ce peuple, de la beauté de ce peuple choisi, élu. Je le dévore des yeux, et je l'aime. Je l'aime pour toute la sympathie humaine, pour toute l'humaine compréhension dont son visage témoigne. Des allusions au problème social achèvent de donner à son masque une nouvelle beauté. Cependant, Élise répète que sa maison est ouverte aux pauvres, qu'elle ne craint pas pour elle la pauvreté, que l'humanité est bien corrompue. « Vous me rappelez, dit Gide, la dame qui ramenait le drame social à cette simple phrase : « Si je n'ai plus de domestiques, je ne pourrai plus tricoter de chandails pour les pauvres... »

On parle alors d'autre chose. De prédictions, de sorciers. D'étonnantes histoires se croisent. Gide nous rapporte le curieux faisceau de rencontres d'où il ressort qu'Hitler sera assassiné... le 26 novembre. Puis il prend congé. Je le suis. Il a son classique chapeau à larges bords, sa pèlerine. Il me dit qu'Élise, lorsqu'elle parlait politique, l'a « *profondé*ment *af*fligé... » Pour la première fois, son grand âge m'est rendu sensible. Je le sens fatigué. Il avoue sa lassitude et je le mets dans un taxi.

Vendredi, 9 décembre 1938.

CORDIALITÉ de Gide dès la première minute. Jeunesse inconnue de sa démarche, de son visage. Je sais dès l'abord qu'il se montre enfin à moi dans

33

sa simplicité. Comme cet air détendu est plus sympathique que l'attentive réserve qui m'était encore
seule connue de lui ! Il me dit :

— Je vous poserai simplement une question,
d'autant plus simplement que ma femme me faisait
faire maigre à Cuverville le vendredi — et parce que
le choix du restaurant dépendra de votre réponse...

— Je vous répondrai aussi simplement : il m'est
absolument égal de ne pas faire maigre. Le mensonge
serait de dire le contraire... Et je vous avoue cela
sans faux orgueil, au contraire ! Figurez-vous que
j'avais prévu que la question se poserait et je m'étais
réjoui de cette occasion de parler avec vous d'un
problème entre tous essentiel...

Nous sommes dans l'escalier. Il m'assure qu'il
connaît un petit restaurant proche du Palais de
Justice où nous serons tranquilles. Dans le taxi, je
lui dis que mon père serait heureux s'il voulait bien
venir dîner en famille. Il se montre satisfait de cette
invitation, mais la décline pour l'immédiat : « A mon
retour, oui, et avec quel plaisir... Mais je suis déjà
officiellement parti. Et, de fait, dans quatre ou cinq
jours lorsque j'aurai achevé de corriger les épreuves
de mon *Journal*, et donné à Cuverville une dernière
signature — pour une affaire de succession — je
filerai... Où ? Je ne sais pas, très loin... En Italie...
au Portugal... ou au Maroc. Hors d'atteinte en tout
cas... Je suis si fatigué... » Je lui dis que sa jeunesse
tout à l'heure m'a frappé : « Précisément, explique-
t-il (et sa voix se fait grave : il détache chacune
des syllabes, comme s'il voulait mettre dans chaque
mot le maximum de volonté), précisément, je me

PARIS

sens bien physiquement. Il y a longtemps que je n'ai été si parfaitement à l'aise dans ma peau. État bien adapté à cette nécessité de travail qui me presse. Mais à Paris, mes journées sont grignotées par mille besognes stupides. Ce temps précieux s'use en vaines occupations, en préoccupations inutiles. Si vous saviez ce qu'il faut encore que j'écrive, tout ce que j'ai encore à dire ! Et le temps presse : je suis exaspéré, agacé plus que je ne saurais le dire, de penser que mes derniers instants de lucidité, de force intellectuelle, de santé sont ainsi gaspillés. Alors je pars profiter de ce qui me reste de vie. Le temps presse, le temps presse... »

Nous nous installons dans l'arrière-salle du bistrot. Un large guichet ouvre sur la cuisine où le chef s'affaire dans une buée appétissante. Nous sommes seuls ici, avec les servantes qui viennent chercher les plats. André Gide se dévêt... Il enlève son cache-nez, son chapeau, son manteau... Rien que de très normal. Mais voici qu'il ôte aussi sa veste, son gilet : « Je veux me *déli*vrer de ce chandail... » Il apparaît en effet vêtu d'une laine rouge qui le fait ressembler à un clown étrange, plus exactement au fameux Grock dont il a soudain le visage attentif.

Comme il a oublié d'acheter des cigarettes, il se rhabille. Me frappe alors son insistance à expliquer qu'il reviendra, que la commande tient toujours, qu' « il laisse en gage ce chandail ». Je l'accompagne. Il me parle d'une interview qu'il a donnée à un journal juif de Genève et où il a parlé de mon article de *La Flèche*.

35

Au moment de quitter le bureau de tabac du Pont-Neuf, Gide s'aperçoit qu'il a oublié de prendre les allumettes qu'il vient de payer. Nouvelles explications qu'il croit bon de donner, comme s'il avait peur d'être traité de voleur : « ... Vous voyez, ce sont celles que vous m'avez données... Je ne les ai pas prises... Vous voyez bien... » De quelle méfiance semble-t-il se croire entouré ! Peut-être est-ce là le résultat de tant d'incompréhension et d'injures ? Il y a chez cet homme quelque chose de traqué.

(On me l'avait dépeint comme étant sujet à l'avarice. Pourquoi alors donne-t-il toujours deux sous alors qu'il n'en doit qu'un pour faire l'appoint ?)

Nous voici de retour dans le bistrot. Simple, mais excellent repas composé des spécialités de la maison : curieuses escalopes enveloppées d'un papier huileux, qu'il faut développer, et qui révèle une viande tendre recouverte d'une molle couche de champignons; fromage (j'en prends seul); baba flambé au rhum servi avec de la crème fraîche. Quelle simplicité, quelle confiance réciproque dans notre conversation. Je lui parle de son *Journal* : « Vous avez été bien cruel pour le pauvre Jacques-Émile Blanche... » (Et je pense à la nouvelle lettre que j'ai reçue de lui, hier : il avait cherché à me voir, je lui avais proposé un jour, mais voilà que sa femme était très malade et qu'il n'était plus question de me rencontrer maintenant...)

— « Oui, c'est vrai, répond Gide, et j'en ai des remords. Je n'ai rien, positivement rien à reprocher à Jacques Blanche qui a toujours été exquis avec moi. Il m'a fait mille avances, depuis que nous

ne nous voyons plus et c'est moi qui les ai toujours
découragées. Pour son art, passe encore d'être dur.
Mais pour son personnage ! D'autant plus que je
me rends très bien compte que l'image que je présente de lui est fausse parce qu'incomplète. En ne
donnant qu'un des aspects de sa réalité, celui qui
me touche particulièrement, je le trahis. J'en suis à
me demander si je ne vais pas écrire une préface
à l'édition que *la Pléiade* donnera dans trois mois
pour expliquer cette erreur d'optique, cette défor-
mation du journal. Remarquez bien que Blanche
n'en est pas la seule victime. J'ai dû couper tout ce
qui concernait ma vie sentimentale, et plus précisément les pages, si capitales, sur ma vie conjugale.
En supprimant cet aspect essentiel de mon existence, j'en livre une image déplorablement incomplète. Je me suis fait violence parfois : quitte à être
indiscret, j'ai rétabli l'équilibre. Ainsi ai-je rajouté
cette phrase terrible et si grave que j'avais supprimée
dans mon *Journal* tel que le donnaient mes *Œuvres
complètes*. Il s'agit de ce que me disait un jour Agnès C.
de son mari : « Il m'a demandé de prier pour lui. C'est
comme s'il voulait que j'écrive une symphonie... »

André Gide un instant se tait, puis il reprend,
d'une voix vibrante, impitoyable, et qui semble
naître directement du plus profond de son être :
« Non, je n'ai pas le droit de cacher des mots si
graves ! Je serai indiscret. Tant pis ! C'est trop
important... » Il répète plusieurs fois ce terme
d'*important*, et j'ai l'impression de saisir sa pensée
à sa source même, telle qu'elle naquit de son esprit,
de sa chair, avant la trahison des mots.

Il revient à J.-E. Blanche. Il me dit que son injustice à son égard vient de ce qu'il se sent blessé « plus qu'il ne saurait dire » par l'indifférence de Blanche en présence de la misère « et des pauvres gens ». (Il a une façon inimitable de répéter ce qu'il disait à Jacques-Émile Blanche : « Mais ce sont de *pauvres gens*. Vous ne comprenez pas qu'il y a de *pauvres gens !* ») Naît alors une émouvante conversation sur l'injustice sociale. Gide est très humain, très proche. Il dit : « ... J'avais compris en lisant vos articles, que vous sentiez cela. » — Et encore : « ... Vous avez deviné, n'est-ce pas, que c'est cette angoisse dont vous parlez qui m'avait poussé chez les communistes. Quelle déception ! Une des plus douloureuses de ma vie : lorsque je me suis aperçu que le communisme n'apportait sur ce point précis aucune solution réelle... »

Il me parle alors du Christianisme, à propos de cette phrase qu'il entendit d'un de ses amis : « Ce que vous demandiez à Marx, seul le Christ vous l'eût offert... » Il me dit son admiration pour l'Église qui se réveille enfin dans ce monde insensé, « si bien que la plupart des critiques dont lui, Gide, l'avait tout au long de son œuvre accablée, ne tiennent plus... ». Il se lance dans un curieux discours où il essaie de prouver que l'idée de *vérité* n'est pas essentielle à l'homme ; qu'elle est, avec celle de *justice*, un attribut particulier des esprits persécutés, très particulièrement des Juifs et des Protestants. Il cite des passages de l'Évangile et de l'Ancien Testament d'où il ressort que la religion ne parle jamais du mensonge (qui n'est pas un péché capital) et qu'elle

ne le flétrit qu'au moment où il porte tort à autrui
(le faux témoignage). Curieux rapprochements de
textes de Luc et de Matthieu...

Et maintenant, nous parlons de la foi, ou plutôt
c'est moi qui en parle et il m'écoute avec une intense
attention, se réservant en ce qui le concerne, me dit-
il, d'entamer le problème lors d'une autre rencontre,
car ce serait trop long et la soirée s'avance (le dîner
est achevé). Je lui dis que les difficultés n'existent
pas pour moi sur la question de savoir qui, de telle
ou telle Église, a raison. Peu m'importent les héré-
sies s'il compte seulement de croire dans le Christ
et de l'aimer. Si j'ai la foi, que me font les discours
des théologiens, leurs disputes ? Je me plie sans
encombre à leurs commandements, je fais maigre
le vendredi, l'amour submerge toute inutile question. La vraie difficulté pour moi, c'est de croire que
le Christianisme est la vérité. Nul doute que mon
éducation ne m'ait donné la nostalgie du Christ. Mais
le désir ne crée pas son objet.

Gide m'a posé çà et là quelques questions. Il a
eu l'air passionné... Beaucoup trop passionné pour
de si banales paroles. Ce ne sont pas elles, c'est moi
qui l'intéresse, et moi en tant que jeune homme, en
tant que représentant des jeunes hommes d'aujour-
d'hui... Il a murmuré : « Vous êtes évidemment
au cœur du problème... » Puis nous sommes rentrés.
Il m'a un instant fait monter chez lui, pour me
faire voir la canne que Jammes lui avait donnée et
dont il a parlé dans le dernier numéro de la *N. R. F.*
De Francis Jammes (qui vient de mourir), l'*Anti-
Gide* puéril marqua, me dit-il, l'incommensurable

incompréhension. (N'eut-il pas l'inconscience, ne trouvant pas d'éditeur, de lui demander, à lui Gide, de placer son réquisitoire !) De mon père, à qui il garde une vive reconnaissance pour son intervention à l'*Union pour la Vérité*, Gide me dit : « Au moment où j'étais de tous côtés accablé d'outrages, il a été un des seuls à me défendre... » (Et je lui parle simplement de l'amitié qui nous lie, mon père et moi, de la difficulté de la position de mon père, « officiellement » écrivain catholique, et qui, pour ne pas blesser des cœurs purs, risque de trahir son art, de ne pas traiter les sujets qui le hantent. etc. Comme Gide semble comprendre ce drame...) Sur Henri Ghéon il a précisé : « Je l'ai tant aimé... Mais il a tant changé ! Je ne le reconnais plus. Je ne peux plus le suivre... Et puis, il écrit maintenant n'importe quoi n'importe comment. Il n'est pas de ces êtres avec qui je puisse parler, moi, de n'importe quoi. Nous ne parlions pas de n'importe quoi tous les deux ! » Il appelle Copeau « un homme terrible ». Claudel ? Il l'admire comme poète mais il lui déplaît fort comme homme : « J'ai un tiroir plein de ses lettres. Nous ne nous voyons plus... » Et il me raconte qu'un soir, Claudel devant son filleul Paul Jammes, fit flamber au dessert une crêpe en disant : « Voilà ce que Dieu fera de Gide... » Après quoi Paul Jammes écrivit à Gide (qu'il ne connaissait pas encore et qui venait de s'inscrire au parti communiste) : « Décidément, ces gens-là sont affreux, et je ne puis aimer que ceux de votre bord... »

Gide m'a enfin conseillé de venir demain à une conférence de Jules Romains où il sera, et il m'a dit

au revoir avec une affection simple et vibrante.
Cette soirée marque entre nous la fin des comé-
dies de la timidité et de la méfiance... Mais pas encore
sans doute celle de la comédie que nous nous don-
nons l'un à l'autre : moi parce qu'il m'est prestigieux; lui parce qu'il est vieux et que ma jeunesse
le revivifie. L'affection que j'éprouve à son égard
n'en est pas moins profonde et sincère. Quant à
lui... Il faudrait mieux le connaître (ou ne pas le
connaître) pour en décider.

Samedi, 10 décembre 1938.

J'ARRIVE par hasard au Théâtre Pigalle, où doit
avoir lieu la conférence de Jules Romains, en même
temps que Gide, à qui j'apporte selon sa demande
les introuvables *Morceaux choisis* de Francis Jammes
dont il a besoin pour son *Anthologie*. La queue est
longue, et je n'ai pas de billet : Gide m'offre la
quatrième place de sa baignoire. Il me présente à
ses compagnons : Madame Théo Van Rysselberghe,
et une jeune fille un peu gauche, qui ressemble trop à
Gide pour ne pas être sa fille — celle-là même dont
mon père m'a parlé, qui l'avait vue, en compagnie
de Gide précisément, à la générale du *Testament
du Père Leleu*, l'autre soir. (...)
Dans le hall avec Gide qui fume une cigarette.
Bonjour à Benjamin Crémieux. Bien des personnes
viennent donner du « Maître » à mon compagnon.
Il répond avec une amabilité exagérée, avance sa

main à contretemps. Résolu à reconnaître chacun,
il reconnaît même ceux qui ne le reconnaissent pas.
Il me parle des lettres de Jef Last dont il vient de
recevoir les épreuves et qui sont si mal traduites
qu'il doit tout reprendre. Au moment de regagner
la baignoire, car la conférence va recommencer, il
me demande : « Cela ne vous ennuie pas de vous
montrer avec moi ?... »

Face au théâtre acajou, qui a l'air d'un meuble
somptueux, Jules Romains paraît. Il parle d'une
voix sèche... Critiques faciles de la politique d'après
guerre. Gide m'avait dit : « Cela risque d'être passionnant. Le titre de la conférence montre qu'il va
prendre nettement position. Nul doute qu'il ne se
révèle fasciste... » Mais Jules Romains ne lui donne
pas ce plaisir. La causerie s'éternise sans que l'orateur
consente à offrir la moindre vue originale ou seulement personnelle. Comme ce Pierre Dominique dont
je lisais le livre l'autre jour, il demande à la France
de se désintéresser de l'Est et de regarder vers son
Empire. Les solutions proposées sont faussement
hardies, gentiment révolutionnaires, profondément
conservatrices. Il joue sur les mots. Il ne recule
devant aucune facilité si elle peut faire rire un audi-
toire stupide qu'il flatte avec aisance. Cette pauvreté
étonne Gide. La tête dans la main, son index creu-
sant un profond sillon dans sa joue gauche, il a
d'abord écouté avec attention, puis il a fait la moue,
avec des longs « oui » étouffés, puis il s'est penché
vers moi et il a murmuré : « Quel habile homme ! Il
trouve le moyen d'éviter tous les vrais problèmes.
Il se dérobe partout où on attendait qu'il parle net

et clair... » Et bientôt il s'ennuie : « Je suis désolé,
dit-il, de vous avoir attiré là... »

La conférence finit tard, et je dois prendre en
hâte congé de Gide. Je crois même m'être échappé
un peu maladroitement.

31 décembre 1938.

Reçu une lettre d'André Gide. Il m'écrit notamment : « Je fais mes comptes de fin d'année. Celle-ci,
vous le savez, m'a apporté de grandes tristesses. Sur
ce fond très noir paraissent d'autant plus quelques
joies, parmi lesquelles, assez rares, celle de votre
sympathie n'est pas la moindre; et je veux que vous
le sachiez. J'ai été retenu à Paris, par des ennuis
d'abord, puis par la grippe qui ne m'a pas encore
complètement quitté. Douze jours de lit et un abru-
tissement qui ne m'eût pas permis même de vous
écrire. Sitôt que j'ai pu, j'ai quitté la rue Vaneau et,
pour plus de tranquillité me suis réfugié à l'hôtel où
je garde encore la chambre précautionneusement.
(...) Je me sens encore et pour quelque temps, hors
du monde; mais pas au point de vous oublier, etc. »

Jeudi, 9 mars 1939.

Carte postale de Louxor : « Je ne peux rentrer
à Paris que passé les vacances de Pâques. Loin-
tainement mais inoublieusement : André Gide. »
Cet *inoublieusement* si gidien me ravit.

Jeudi, 27 avril 1939.

Coup de téléphone de Gide, à qui j'avais écrit il y a deux jours en apprenant qu'il était de retour : « J'attendais votre lettre... » Sa chère voix, si émouvante. Rendez-vous est pris chez lui pour demain matin.

Vendredi, 28 avril 1939.

J'attends un moment dans un petit salon. La voix martelée, l'âpre voix d'André Gide me parvient de la pièce voisine où il dicte des lettres.

Il paraît bientôt après, vêtu d'un costume de bure qui tient du pyjama. Un foulard d'un rouge vif entoure le cou. Le gilet est d'une couleur intermédiaire entre cette cravate claire et le marron du vêtement.

Je demeurai une heure avec lui. Une gêne mutuelle empêcha d'un bout à l'autre de notre entrevue la moindre détente. Il me parlait de ses réfugiés (car il s'intéresse au sort de nombreux exilés), et j'écoutais, mais cette conversation inutile remplissait des vides.

Il vint un moment où je m'enhardis :

C. M. — Cette année m'apporta la grâce de vous avoir connu...

A. G. — Oui, nous sommes faits pour nous comprendre. Je l'ai deviné à ce charmant dîner, vous vous souvenez...

C. M. — Je me souviens. Mais nous nous voyons trop peu souvent, d'où cette réserve...

A. G. — A qui le dites-vous ! Et encore, je lutte contre moi-même, je m'oblige à paraître plus à l'aise que je ne le suis réellement. Cette timidité me désole : j'aurais tant de choses à vous dire et, je le sens bien, des choses très intimes. Nous nous comprenons assez pour nous confier l'un à l'autre... La conversation s'use en pauvres discours...

Il a un peu détourné la tête, dans une pudeur charmante. Je dis :

— Il ne faut pas chercher à aller trop vite. Nous avons le temps. Qui nous presse ? Une visite n'épuisera pas notre amitié...

Je lui parle alors de son ancienne promesse : ce dîner familial à la maison. Son visage s'éclaire. Il semble heureux de cette proposition; elle le touche; surtout lorsque je lui redis qu'il n'y aura que maman, mon père, mes sœurs et Jean...

— Votre père... Oui, je regrette de ne pas le voir plus souvent... Mais il y a entre nous, ou plutôt non : de mon côté, une sorte d'appréhension. (Seul Gide sait prononcer ainsi le mot « appréhension » et lui donner cette valeur insolite...) J'ai toujours peur d'un revoir entre lui et moi : par grande crainte que nous ne nous disions rien, et ce serait gênant, ou que je lui dise au contraire tout de suite trop de choses, que je me confie trop intimement, que j'avoue des choses trop graves.

Il en vient alors à la communication du nouveau pape sur l'Espagne. Je lui dis que X... et bien des catholiques, en avaient été également blessés. Comment ! Franco était glorifié sans la moindre réserve par le représentant du Christ sur la terre !

Il ne parlait que des crimes des vaincus comme si les abominations n'avaient pas été partagées, comme si — et c'est le moins qu'il eût dû pouvoir dire — il n'y avait pas eu chez les républicains des chrétiens qui avaient suivi de bonne foi et en toute légitimité la cause du gouvernement. X... avait été atteint au plus secret de lui-même. (J'avais, quant à moi, lu avec indignation la lettre du pape, mais sans vraie douleur, car, que m'importe le pape !) X... m'avait dit : « Je comprends que le Saint-Père soit tenu à être politique. Mais il aurait suffi d'un mot, d'une phrase, pour donner la paix à tant de cœurs avides de justice. Au lieu de cela, rien ! Rien que cette intolérable trahison. » Puis il avait pris le parti de ne plus souffrir (mais quelle déception cette nouvelle attitude révélait...). « Tant pis, avait-il dit... Il faut renoncer à cela aussi... L'Église a toujours été la même... Pourquoi avoir espéré une rédemption ? Notre foi n'est en rien atteinte. Ce ne sont que des hommes, de pauvres hommes comme nous. Car sur le point de l'Espagne, il ne s'agit pas d'infailli-bilité, n'est-ce pas... » Mais cette feinte indifférence dissimulait mal une blessure toujours vivante. Hier soir encore, X... me disait : — « Je m'éton-nais un peu de cette unanimité dans la louange faite autour de Pie XI. Je comprends mainte-nant les raisons de cette universelle admiration. Oui, ce fut un grand pape et qui redonna à l'Église son prestige. Alors que celui-là, en qui j'avais eu confiance... »

André Gide me montre la même tristesse. Son visage marque de la souffrance : « Quel mal cause une telle attitude ! J'en suis à regretter ce que j'ai dit de l'Église dans les dernières pages de mon *Journal* qui va paraître. Oui, j'ai eu sans doute tort de faire amende honorable... »

« Ce journal ? Une grosse partie pour moi... Son ton un peu geignard me fait peur. Je ne l'ai jamais tenu que dans mes accès de tristesse... »

Je lui parle d'un autre *Journal*, celui de Green. Il se plaint du sous-titre que *Le Figaro* lui donna : « André Gide, esclavagiste ».

— Je sais bien que c'était ironique. Mais le lecteur ne va pas souvent au-delà du titre. Cela peut me porter tort. C'est très ennuyeux... Green n'a du reste pas très bien compris ce que je voulais dire. Je lui avais simplement fait remarquer que les travailleurs noirs étaient souvent si malheureux qu'esclaves, ils eussent été mieux traités...

Dans une volte-face compréhensible pour qui, comme moi, aime la mesure, les nuances et surtout la justice, il me parle alors avec fureur d'un article de la *Révolution Prolétarienne* où un noir accuse les médecins français en disant qu'ils violent, pillent et persécutent les nègres : « C'est intolérable de généraliser ainsi, dit Gide. Qu'il cite des noms, qu'il cite des cas. Soit. Mais qu'il n'englobe pas tous les médecins coloniaux dans son accusation. J'en connais, moi, de ces docteurs ! Ce sont des héros... J'ai envie de répondre à cet article, mais je n'ose. Imaginez qu'ils publient ma réponse sous le titre *André Gide esclavagiste*... Hein ! Vraiment, ce que Green a fait là est bien ennuyeux... Je ne le lui tiens pas à grief mais c'est pour moi un grand souci... »

Il a toujours peur d'être jugé sur ce qu'il n'est pas.

Il me lit ensuite une lettre de Roger Martin du Gard qui s'est installé aux Antilles. Description du climat, de la solitude, d'une vie tout à fait nouvelle à laquelle il faut s'habituer. Évocation des stupéfiantes nouvelles venues d'Europe sous la forme laconique des dépêches Havas. Martin du Gard écrit de ces informations dépouillées de toute littérature et même d'explications qu'elles ont le définitif d'un résumé de leçon d'Histoire. Elles lui apportent une surprise douloureuse, mais qui disparaît vite, car c'est l'essence de la surprise que d'être de brève durée. Cela est préférable à cette obsession perpétuelle où il vivait en France les derniers temps, etc... Un moment, la voix de Gide hésite : il sourit; puis il se décide tout de même à parler, avec un air ironique, un peu gêné, gentiment timide : « Là, il dit que les indigènes sont charmants et que j'aurais de grandes tentations... »

Nous parlons aussi de Cocteau. Son visage s'éclaire d'une véritable affection : « Quel être charmant ! Je l'aime bien tout de même, je l'aime malgré tout... Car on ne saurait en vouloir longtemps à un ensorceleur de cette espèce. » Il me dit aussi qu'il n'a jamais pu prendre tout à fait au sérieux l'œuvre et l'homme. Ce qui est bien la phrase la plus souvent réentendue à propos de Jean Cocteau.

Que de choses tiennent en une heure, et en une heure où la timidité vous a soi-disant empêché de parler ! J'omets mille choses intéressantes. Par exemple cette phrase sur son humilité — (il ne prononce pas le mot, contrairement à Cocteau qui, dans une occasion semblable, n'aurait pas manqué de le faire. Plus habile, il suggère) — humilité qui l'empêche de jamais croire à l'efficacité d'une de ses démarches — d'où sa stupeur, lorsqu'il s'aperçoit que son intervention a évité l'expulsion à un étranger auquel il s'intéressait. (Il s'agit de son traducteur allemand qui était aussi celui de Giono : mais il est si pur qu'il a refusé de travailler avec Giono lorsque ce dernier accepta de se faire éditer par une maison hitlérienne.)

A la fin de notre entretien, une confiance nouvelle reflue sur son visage. Déjà vaincu par la timidité (ou bien joue-t-il ?), il essaye de repousser la tentation de la confidence, élude l'aveu ébauché, y revient, en remet de nouveau l'expression. Puis, s'enhardissant tout à coup :

— J'ai écrit pendant mon voyage en Égypte et en Grèce... Comment dire... Ce que notre ami Jouhandeau eût appelé encore des *Chroniques maritales*... Mais d'un son très différent... Impubliable, hélas !... Un peu plus tard, si vous le méritez... Mais vous le méritez... Oui, je vous lirai ces pages...

Puis il me montre en ricanant un manuscrit que « le jeune Schwob » — il s'agit de René Schwob ! — lui a confié : « Il prétend que c'est difficilement publiable, tant il a eu le courage d'avouer l'inavouable... Je vais me rendre compte... Mais je suis sceptique... Cela m'étonnerait qu'il aille vraiment loin... On dit toujours ça... Et puis... » Son bras esquisse un geste désabusé, ironique... L'auteur de *Si le Grain ne meurt* a le droit de parler ainsi.

Il m'avoue aussi qu'il croit devoir abandonner définitivement la formule du journal et, comme j'ai l'air incrédule, il ajoute : « C'est vrai que j'ai tenu un journal quotidien pendant mon voyage... » De ce voyage, il précise que la solitude l'a gâché : « Seul en Égypte, je ne pouvais profiter de rien. Il me faut un confident. Autrement, rien ne me paraît beau, ni même intéressant. Je n'étais pas ainsi à votre âge, où je voyageais seul... » Il ajoute qu'en Grèce, il était avec un jeune garçon charmant, professeur dans une île... : « Nous restâmes quelques jours ensemble à Olympie... Ce fut délicieux. »

Nous évoquons un moment cette Grèce que j'ai moi aussi tant aimée, puis je prends congé : « Nous n'avons rien dit d'intéressant, murmure-t-il, mais nous avons repris contact. A très bientôt. »

Il y avait exactement une heure que j'étais là lorsque je franchis la porte.

Mardi, 2 mai 1939.

(...) GIDE se décommande « appelé à Perpignan par un réfugié dont il s'occupe ». J'admire fort le dévouement lorsqu'il est ainsi pratiqué par l'homme le plus spontanément égocentriste qui soit.

Mardi, 9 mai 1939.

QUE dire de cette soirée familiale avec Gide ? Il se désintimida rapidement et parut fort à son aise au milieu de nous. Jamais je ne l'avais vu si jeune, si gai, si détendu. Nous ne touchâmes pas aux sujets sublimes et ce fut bien : les histoires de ses animaux familiers occupèrent le dîner. Pendant la soirée il nous parla surtout de son amour du cinéma. Il avait tout vu. Il connaissait chaque film, et des noms d'acteurs inconnus. Il évoqua aussi de savoureux souvenirs de théâtre « car mes contacts avec la scène ont toujours été doulll-ouou-reux... ».

La politique et la religion tinrent peu de place dans la conversation : Gide fit allusion à la déception que lui apporta Pie XII; il révéla à mon père l'existence d'un nouveau journal catholique de gauche, *Le Voltigeur*; il annonça qu'il m'inviterait prochainement à dîner avec le chef de cabinet du ministre de l'Intérieur, M. André Dubois qui pourra m'être utile pour l'enquête qui m'a été demandée à *La Flèche* sur les étrangers...

« Des hommes comme lui, des hommes qui ont cette importance, devait dire mon père après son départ, sont traqués. On leur demande de se montrer dignes de leur réputation. Aussi sont-ils heureux lorsqu'ils peuvent échapper à cette obligation. Il était visible que Gide se réjouissait ce soir d'une conversation si banale. Je me souviens de son air de bête pourchassée à Pontigny, lorsque Du Bos l'acculait, exigeant de lui qu'il tranchât sur les plus graves problèmes de la vie et de la mort... »

Il dit aussi : « Ce qui me frappe chez un être comme Gide, c'est l'extraordinaire jeunesse. Il a soixante-dix ans, songez donc ! Et voyez quelle adolescence miraculeuse il a gardée, quelle fraîcheur... Ce côté enfantin de son personnage m'a touché une fois de plus ce soir. Qu'il est charmant ! Je songe avec tristesse que les « gens bien » refusent de le recevoir. Ils disent de lui que ses livres l'ont déshonoré... Mais comparez à lui les « gens bien »... Évoquez le visage noué, le visage fermé, menteur, méfiant, affreux d'un C..., d'un H... Gide au moins, n'a pas triché. Il s'est montré tel qu'il est... Comme les gens *mal* sont plus admirables, souvent, plus *grands* que ces petits saints... »

Gide glissait sans cesse du divan où il était assis, fumant de façon ininterrompue des cigarettes orientales, et d'un coup de rein il se redressait. Je regardais son jeune visage bien portant où la lèvre inférieure saillait. Bouche extraordinaire que l'ironie, le contentement, la joie remodelaient d'instant en instant. Mon père était devant lui comme un petit garçon; il ne cherchait pas à briller; il parlait de lui-même avec une humilité inhabituelle. Gide écoutait peu et mal; ou plutôt, il n'avait pas l'air d'écouter. Des grognements approbatifs ponctuaient les silences. Il évoquait avec une gentillesse naïve les déconvenues, les faiblesses, les trucs de son métier. Il parlait argent avec une avarice affectée. Je lui fis très peur en lui disant que le restaurant où il voulait m'inviter avec M. Dubois en cabinet particulier était « hors de prix » :

— Comment... *Les Capucines* ? C'est Gallimard qui me recommanda ce reeessstaur-rant que je ne connaissais pas.

— Vous ne connaissiez pas *Les Capucines* ?

— Mais nnnon... Gallimard m'a dit que c'était à côté du cinéma Paaaramount...

— Eh bien, cher Monsieur...

— Enfin quoi, on peut, pour 50 francs par tête et en cabinet particulier...

— Hein 50 francs ! Triplez, triplez, Monsieur...

— Alors cela ne va plus, non c'est trop cher... Je trouve inacceptable de dépenser une pareille somme dans un ressstaurant...

Je ne sais pourquoi je rapporte ce dialogue : il valait surtout par l'inimitable drôlerie du verbe gidien. Et puis par cette avarice qui était trop dans sa légende pour être authentique. Nous n'en fûmes pas dupes. La vérité est que Gide s'amusait de lui-même, comme nous. Sur ce point pourtant, il était sérieux, le cher naïf : il croyait qu'en 1939, à Paris, on pouvait déjeuner en cabinet particulier, aux *Capucines*, pour 50 francs.

Un des traits qui me frappent chez André Gide, c'est la hantise de l'ennui. Son amour du cinéma vient de là. Il va jusqu'à parler avec gourmandise de certains comités ou conférences auxquels il se rend et qui lui procurent « une réelle distraction ». Comme je lui vante le cabaret d'Agnès Capri, il montre aussitôt une grande envie d'y aller : « Repar-lez-m'en, à l'occasion... » Si nous ajoutons cet autre caractère de son personnage : la curiosité, nous comprendrons nombre de ses attitudes.

Il s'en va vers onze heures et demie, apparemment fort satisfait de sa soirée. Maman et mes sœurs l'ont trouvé sympathique. Mon père a reconnu son charme oublié.

Mercredi, 10 mai 1939.

GIDE a fait la conquête de la famille : Claire et Luce ne tarissent pas sur son charme et Jean dit que « ce fut une soirée historique ».

A noter pour mémoire le récit de son voyage à Perpignan : les trains étaient dédoublés à cause du congrès eucharistique d'Alger. Il fit le trajet dans un compartiment bourré de curés et de vieilles dévotes : « Alors j'ai compris qu'en allant là-bas, je faisais aussi œuvre pie... »

Il était parti voir non pas un, mais quelques réfugiés, et qu'il ne trouva du reste pas, car leur camp avait été transféré à Bayonne : « Aussi mon voyage fut-il complètement vain. Cela m'apprendra à vouloir faire du zèle. Car il y a des moments où j'éprouve le besoin de faire du zèle. Mon confort me gêne. Je m'en veux de ne rien faire. Alors je me pousse par les épaules : « Allons, va, tente quelque chose pour ceux qui souffrent », me dis-je. C'est pour cela que je suis parti l'autre jour. » Cela raconté sans affectation aucune, et avec une nuance d'ironie.

Comme je lui disais que Greta Garbo m'avait fait pleurer dans *La Dame aux Camélias,* il s'écria : « Moi aussi, bien sûr... Mais cela m'arrive si souvent au cinéma ! Et j'ai un peu honte de mes larmes, lorsque la lumière se rallume... »

Mardi, 23 mai 1939.

J'AVAIS trouvé, en arrivant à Paris, une lettre de Gide, drôlement écrite au dos de la carte publicitaire du restaurant Calvet, me donnant rendez-vous rue Vaneau à 7 h. 1/2. Impression de vide en le voyant : rien à lui dire, et puis mon examen de demain matin me préoccupe malgré moi. Peur de le décevoir, d'autant plus qu'il me dit tout de suite : « Avant mon voyage nous avons parlé de telle façon que j'ai bien vu que nous pouvions nous rencontrer sur l'essentiel... Puis nous ne nous sommes plus vus, puis nous nous sommes mal vus... Ce soir encore il y aura un tiers... Mais je veux que notre rencontre d'aujourd'hui soit l'entrée en matière d'un proche revoir, sa préparation. »

Nous sommes restés quelques minutes chez lui. Il m'a montré l'atelier qu'occupait autrefois Marc Allégret : un trapèze est accroché au plafond, et donne envie de faire des rétablissements. Gide m'explique pourquoi la proche présence de Marc est devenue impossible : les acteurs de cinéma défilaient chez lui, et son propre bureau, à lui Gide, servait de salle d'attente...

Nous parlons de Martin du Gard, dont l'adresse est « Fort-de-France, poste restante... » Je dis à Gide que son départ m'a causé une certaine déception, nuancée de tristesse : c'était un encouragement de savoir qu'un homme de son importance, de sa grandeur, suivait notre effort. Depuis qu'il a quitté la France il m'est presque indifférent d'écrire à *La*

Flèche. André Gide n'écoute pas : il suit ses propres pensées, ses propres regrets. « Son départ m'a laissé tout désemparé, dit-il. Je m'étais habitué à l'idée de partir un jour ou l'autre me réfugier à Bellême, et d'y rester longtemps, longtemps... Et voilà qu'il s'est enfui, me laissant seul. Il m'était d'un tel secours à certaines époques de ma vie. Il savait me conseiller, il m'aidait, je pouvais me confier à lui... »

Nous sommes dehors. Gide parle de son *Journal* qui va paraître : « J'ai très peur... Je crains le pire, et même qu'on m'envoie des témoins, de plusieurs côtés à la fois. » On ne sait pas s'il plaisante. Ou plutôt la connaissance que l'on a de sa nature méfiante renseigne suffisamment sur son sérieux. Non, il n'y a aucune ironie dans ses propos. « Vous êtes la cause des quelques lignes que j'ai ajoutées sur J.-E. Blanche : des lignes rectificatrices... »

Nous parlons de Simenon, puis de Giono, mais je passe sur cet intéressant échange d'idées que nous eûmes à leur sujet. Il faut en arriver à l'essentiel. La lente remontée du boulevard Saint-Germain nous a conduits chez Calvet. M. Dubois n'est pas arrivé : Gide m'entraîne dehors, nous nous asseyons sur le premier banc. Je suis ému.

Je suis ému parce que tout à l'heure, exactement alors que nous traversions la rue des Saints-Pères, la voix de Gide s'est faite confiante et très proche son cœur. Ce qu'il m'avouait, il me l'avait déjà dit lors de notre précédente rencontre. L'avait-il oublié ? Je ne le crois pas, bien qu'il ait employé presque les mêmes termes que ce soir : « Je vais vous montrer quelques pages... Un sujet très grave... Ce que notre

Jouhandeau appelle des *Chroniques maritales*... Mais sur
un tout autre ton, naturellement... Le contre-pied...
J'aimerais avoir votre avis... Il fallait que j'écrive
cela... Depuis longtemps la pensée de cette mise au
point nécessaire m'obsédait... Voilà qui est fait... »

Il parlait lentement, avec des pauses entre chaque
phrase : arrêts lourds de sous-entendus et qui
rendaient ses paroles plus précieuses encore.

Maintenant, sur ce banc, devant les passants
indifférents, par ce beau soir d'été, il va plus loin
encore dans la confidence. Les yeux perdus, il parle.
Il me dit sa reconnaissance. Il me dit qu'il m'aime
bien. Et je ne comprends pas, je ne comprends rien,
sinon qu'aucun don ne pouvait plus me combler que
cette étonnante amitié.

Et soudain cette question inattendue tombe sur
moi :

— Claude, saviez-vous que j'ai une fille...

— Non... Pas du tout.

Mensonge spontané qui pouvait seul m'éviter
une gêne peu supportable.

— Pourtant votre père sait. Il ne vous en a pas
parlé ?

— Non.

— Je sais pourtant qu'il sait. Je sais qu'à la première du *Père Leleu*, à la Comédie-Française, il a
remarqué la jeune fille qui m'accompagnait. Je sais
que son étonnante ressemblance, son *outrageante*
ressemblance avec moi, l'a frappé...

Je continue de mentir. Non, j'ignorais tout cela.
Ce doit être par discrétion que mon père ne m'a
rien dit. Cette nouvelle me stupéfie, etc...

— Puis-je lui en parler maintenant ?

— Je vous le demande... Vous évoquiez tout à l'heure cette conformité de pensée entre votre père et moi qui vous avait tant frappé l'autre soir : vous n'imaginez pas, sans doute, et votre père n'imagine pas, combien cette conformité est plus profonde encore... J'aimerais lui en parler. Nous aurions tant de choses à nous dire...

Après cette allusion probable à son évolution religieuse (mais peut-être me trompais-je), il évoque « la petite Catherine », sa fille « et que vous finirez bien par rencontrer un jour ». (A-t-il pu oublier, vraiment, qu'elle était dans la même loge que nous, à la conférence de Jules Romains ?) Comme je lui dis, avec l'interrogation d'une feinte inspiration :

— Mais, n'était-ce pas la jeune fille qui...

Il acquiesce. Ces mensonges me gênent. Je ne sais que dire. Alors je murmure, bêtement :

— Oui, je me souviens... Comme elle avait l'air intéressant, concentré, intelligent...

André Gide ne semble pas remarquer la lourdeur de cette phrase ni sa maladresse. Il dit : « — Oui, c'est une fille que je crois bien curieuse. » Puis, aussitôt après : « Mais que de souffrances je lui ai dues... »

Nous sommes toujours sur ce banc, en face, ou presque, du restaurant Calvet. Là-bas, Saint-Germain-des-Prés dresse sur le ciel pâle la masse aimée de son clocher. J'aimerais qu'il y ait des martinets pour clore cette belle journée. Cependant, Gide, de plus en plus, s'enfonce dans la confidence, et je retiens mon souffle, et j'évite toute parole, tout mouvement, de peur de l'effaroucher :

— Quand je pense que Marcel Arland a écrit : « Il manquera toujours à André Gide, malgré tout son talent, l'expérience de la douleur. » Quand je pense qu'il a osé écrire cela, penser cela... (Visage désespéré, tendre et triste visage de Gide, à ce moment !)... Ma petite Catherine a été l'occasion de grandes douleurs. J'avais une peur affreuse que ma femme sache, vous comprenez, qu'elle apprenne que j'avais une fille. Cela l'aurait tellement blessée, cela lui aurait fait un tel mal... Hélas ! Je n'ai jamais pu savoir si elle avait des doutes ou même une certitude. Ce fut entre nous le drame du silence... »

(Perdrai-je jamais le souvenir de cette voix assourdie, un peu trop calme, disant : « Ce fut entre nous le drame du silence » ?)

Il fit alors un geste vague, puis il se leva, s'arrachant à son rêve.

— Allons, M. Dubois doit être là. Nous ne pourrons plus rien nous dire ce soir. Il faut se revoir très bientôt, n'est-ce pas ?

Mais il se trompait : M. Dubois était en retard. M. Dubois n'était pas là. Et dans le cabinet particulier du premier étage, dont les fresques légères évoquaient des rendez-vous galants, les aveux continuèrent.

Je n'oublierai jamais cette image : André Gide la tête basse, extirpant l'une après l'autre les paroles que ses dents serrées, au dernier moment, voulaient encore retenir. Je n'oublierai jamais non plus ce geste machinal, au même moment : son couteau jouait dans les plis de sa serviette comme s'il avait voulu la couper ainsi que les feuillets d'un livre. Que disait-il alors ? Il disait — et ses paroles décevaient tout d'abord, tant d'absorption ayant laissé prévoir des confidences plus graves :

— Personne ne connaît encore les pages que je vais vous confier... Ou plutôt, si : je les ai lues à deux amis... A Jean Schlumberger en particulier... C'est dans les cas comme celui-là que l'avis de Roger Martin du Gard m'était précieux... Je ne sais vraiment pas s'il est possible de publier un tel essai...

(Je m'étonnais en moi-même, une fois de plus, de le voir tant préoccupé par la publication : un homme de sa grandeur aurait dû ne s'occuper que de la véracité de son témoignage sans se soucier d'imprimer ou non son message... C'était oublier ce côté monstrueux de tout homme de lettres, et cet aspect particulier du caractère de Gide dont parle Guéhenno dans son dernier livre et qui l'oblige à penser à voix haute. Explication qui vaut celle de la monstruosité, et que je préfère parce qu'elle n'est pas sans beauté.) Cependant, Gide continue :

— Ce qui m'inquiète surtout... ce qui m'inquiète, c'est que, à propos de ce drame entre ma femme et moi, je fais sur moi-même, sur le développement de ma nature, de terribles aveux... Je livre d'affreux secrets... Je me livre malgré moi...

Il n'est plus question maintenant de désillusion : je comprends pourquoi Gide a l'air si gêné, pourquoi il s'amuse nerveusement avec son couteau, avec sa serviette...

Arrive A.-L. Dubois, chef adjoint du Cabinet du

ministre de l'Intérieur, Albert Sarraut. Un garçon
jeune, alerte et dont l'accent méridional chante. Je
m'attendais au pire : ... Et je trouve un homme. Un
homme généreux, avec un cœur et une âme. Un
homme à qui sa position permet de faire le bien, et
qui le fait. Gide m'avait dit le mal qu'André Dubois
s'était donné pour sauver de la prison ou de l'expulsion maints réfugiés auxquels il s'intéressait : « Je
voulais faire quelque chose pour lui. Alors, je l'ai
invité ce soir... Après bien des hésitations du reste.
Je doute toujours de mon crédit... Grand fut mon
étonnement en voyant sa joie et son empressement
lorsque je l'eus invité... »

Gide lui montre des télégrammes, des lettres de
réfugiés, et Dubois qui déjà n'a pu quitter le Minis-
tère qu'après un long retard, se prête de bonne
grâce à cette prolongation de son travail — (il
aimerait mieux parler avec André Gide d'autre
chose que des habituels sujets d'occupation, bien
sûr !). Il promet de téléphoner ici et là, de faire le
nécessaire, et Gide se confond en remerciements.

Il n'est pas très brillant, Gide. Il m'avait parlé
tout à l'heure de ses insomnies, il m'avait dit qu'il
avait la migraine. Il est éteint maintenant. Mais
Dubois est intéressant : nous parlons du statut des
étrangers. Il met à ma disposition, pour mon enquête
de *La Flèche* et pour mon éventuelle thèse de docto-
rat toute sa documentation de l'Intérieur. A son
retour de Bône, où il part demain pour dix jours, il
me fera signe. Dès demain, il m'enverra un précieux
recueil, *le Code pratique des étrangers*... Grande est sa
gentillesse et passionnante sa conversation. Sur

61

l'état actuel de l'Espagne, après la victoire de
Franco, il nous apporte de précieux renseignements.
Sur la crise de septembre, il nous donne cette pathétique vision : Daladier à l'écoute, attendant les
dépêches avec angoisse, aussi démuni, aussi ignorant que le premier lecteur venu de *Paris-Soir* sur leur
exacte portée, leur authenticité et leur sens : « Il y a
un moment où la paix et la guerre échappent au
pouvoir des hommes... »

Gide ne s'anime qu'au moment où Dubois affirme
avoir pris beaucoup de plaisir au *Treizième Arbre*,
cette petite pièce que l'on a jouée dernièrement, et
qu'André Gide, précisément, m'avait déconseillé
d'aller voir. Lui-même n'avait-il pas pris la fuite
pour la première ?... Il a l'air ravi : « Mais oui..
C'est ce qu'on me dit... Qu'on a beaucoup ri... En
somme, ce fut presque un succès... » Il rit de toutes
ses dents serrées.

Nous marchons un peu dans la nuit. A la place
Chappe, Gide nous quitte. Il s'éloigne d'un pas fatigué, dans sa houppelande de berger. Dubois et moi
chantons ses louanges. Je dis (peut-être naïvement) :

— Le merveilleux est qu'*il ne sait pas qui il est*.
Son extrême humilité surprend. Nous sommes
habitués à l'orgueil hautain de pauvres plumitifs :
et voici que le plus grand des écrivains vivants,
André Gide, est effacé, discret comme un débutant.

André Dubois d'acquiescer et de me décrire sa
surprise et sa gêne lorsque Gide entra dans son
bureau la première fois, il y a quelques jours :

— La pensée de voir André Gide me boulever-
sait. Il avait tant représenté pour ma jeunesse. J'étais

ému, très ému de le connaître et je vis devant moi un homme qui s'excusait de me déranger, un homme qui me demandait comme une grâce ce que j'aurais été si fier de pouvoir lui donner au centuple. Son air intimidé, son air humble accrut ma propre émotion. Je dus avoir l'air idiot...

Vendredi, 26 mai 1939.

GIDE m'appelle. (Je lui avais écrit hier, pour le remercier.) Comme sa voix, au téléphone, est cérémonieuse et intimidante à force de correction ! Elle demande : « ... Puis-je vous voir à la fin de ce jour... » Hélas ! non... Et je pars demain pour Vémars. Mais le matin serait possible... « Bon... alors demain matin, voulez-vous, rue Vaneau, à partir de 10 h. 1/2... » Sa hâte à me revoir est surprenante. Car, aussi bon comédien qu'il soit, nous avons dépassé le stade des coquetteries. Se pourrait-il vraiment qu'une amitié vraie et qui ne tienne pas à ma seule jeunesse, à cette éphémère valeur de la seule jeunesse... ?

Avec Roger Lannes, à Versailles, où nous devons passer la soirée auprès de Jean Cocteau, qui s'est exilé pour travailler en paix. Nous arrivons vers 6 h. 1/2 à l'hôtel Vatel où il loge. Le minuscule escalier bifurque, se dédouble, ramifie d'étage en étage son labyrinthe compliqué pour nous amener enfin devant la porte ouverte où la silhouette de Cocteau se détache sur un fond de nuages. Une fumée bleue noie la chambre close : on étouffe ;

l'odeur est mystérieuse, assez douce. L'atmosphère confinée fait oublier la beauté de cette fin de journée. Cocteau dit : « J'ai fumé soixante cigarettes... » Il ouvre la fenêtre sur la rue solitaire et digne d'une lointaine province. Un peu de la pureté du soir entre.

Le pantalon gris impeccable, mais à demi déboutonné; une ceinture ouverte pendant de part et d'autre; en bras de chemise avec un petit chandail bleu étriqué : ce débraillé étonne, de même que le désordre de la chevelure. Cocteau parle. Il parlera ainsi jusqu'à une heure du matin, sans nous laisser placer un mot, avec le même brio, la même verve jaillissante. L'euphorie qui suit le travail bien fait donne à sa conversation plus d'éloquente drôlerie que de coutume, et ce n'est pas peu dire. Mais c'est toujours le même Cocteau, avec son verbe prodigieux, ce génie d'orateur où la mémoire joue un grand rôle : il lui arrive de parler d'abondance, sans penser à ce qu'il dit, comme on récite un rôle. Il possède bien son numéro, si bien qu'il se permet d'étonnantes variantes. Il ajoute à ses anciennes conversations tout en s'y appuyant, tel le poète antique brodant autour de la légende et l'embellissant, chaque fois qu'il la raconte.

Sur la commode, parmi des livres policiers et des éditions bon marché de Racine et de Molière, le manuscrit du nouveau *Potomak* étale ses immenses feuilles blanches. Sur la table, cinq ou six de ces cahiers de dessins, bien connus de mon enfance, avec leur montgolfière gravée sur la couverture grise : c'est le manuscrit de sa nouvelle pièce, *La*

Machine à écrire, qu'il vient de rédiger en cinq jours, sans une rature, d'un seul mouvement.

— Le cadre merveilleux du parc m'a seul permis ce miracle, dit-il. Tout y est combiné comme une machine. D'allée en allée, les rouages, les trucs de cette construction étonnante se dévoilent. Les statues s'en tiennent à leurs immuables plaisanteries. Ces mots d'esprit ont été une fois pour toutes modelés dans le marbre, et Versailles tout entier, par delà les années où il était habité, continue de vivre de sa vie propre : tel un navire sans équipage, il poursuit sa marche inutile à travers les siècles... Je me promenais et, au retour, ma pièce naissait d'elle-même et s'épanouissait avec la même précision inéluctable... Qui dira l'importance du décor pour l'artiste ! C'est par hasard que je suis retourné au Piquey, l'autre jour : il n'y avait plus de place nulle part ailleurs sur le Bassin. Je consentis donc à m'y arrêter et je compris bien pourquoi, quelque temps après : le nouveau *Potomak* s'imposa à moi. Où aurais-je pu mieux parler de Radiguet que dans cette pièce même où je m'étais trouvé avec lui ? Je suis donc resté au Piquey, malgré le froid et l'inconfort jusqu'au jour où j'ai pu mettre le point final à l'œuvre nouvelle...

Ce nouveau *Potomak*, voici qu'il se met soudain à nous le lire. La rapidité de son débit, les obscurités d'un texte où chaque phrase est une allusion secrète à un personnage ou à un fait véritable dont le vrai visage est tu, me déroutent. Parfois je saisis au vol une phrase magnifique, un de ces coups de poésie qui frappent dur, en plein cœur. Ou bien je souris parce qu'il a bien voulu nous dire qui il désignait sous le nom de la Vicomtesse Méduse. Entraîné par son texte, il brûle les étapes; c'est un jaillissement d'images, un feu d'artifice mais que son éclat même dissimule; la voix est sèche, nette, précise, inhumaine; parfois un rire enfantin interrompt ce débit monotone : Jean Cocteau est très content de son œuvre et il ne se prive pas pour le dire. « Dieu sait que je déteste Voltaire, s'écrie-t-il, et que rien ne m'est plus étranger que son incrédulité. Mais j'ai essayé de retrouver sa rapidité, cette *vitesse* où il était passé maître. Mon nouveau *Potomak* pétille comme une flambée de sarments, c'est ce que je voulais. »

Jean Marais est arrivé au milieu de la lecture; puis, nous l'avons accompagné à la salle à manger où il doit dîner rapidement car il lui faut être à neuf heures à Paris pour jouer *Les Parents Terribles*. Cocteau, Marais, Lannes, et moi, par la même occasion, faisons sensation dans cette sage pièce cernée de glaces et dont les lustres, la décoration évoquent les hôtels de villégiature du second Empire. D'étranges vieilles à guimpes, des lecteurs de *La Croix*, tout un petit monde de retraités bourgeois dîne dans un silence de mort. Notre groupe surgit dans ce sommeil avec l'impudeur et l'éclat de la folie. La chevelure hirsute de Cocteau, sa voix claironnante, la beauté agressive de Jean Marais, le visage dévasté du jeune Roger Lannes font sensation. Des regards louchent vers nous. Une réprobation nous entoure. Les plus timides croient sans doute à l'apparition d'une délégation de l'Enfer. Les glaces multiplient nos visages et j'ai soudain du mal à m'identifier à ce jeune homme dont le dos et la nuque me sont inconnus.

Jeannot a dû partir pour son théâtre; nous avons attendu longtemps Pierre Guérin, un garçon que je ne connaissais pas et qui devait venir. Las de l'attendre, nous avons commencé à dîner; il était neuf heures.

Il ne faut pas espérer rendre la conversation de Jean Cocteau : elle coulait, ou plutôt, elle jaillissait, de façon ininterrompue, avec le même débit toujours, amoncelant les images heureuses, les paradoxes et les mensonges. Car la vérité se déforme automatiquement en traversant l'âme de cet illusionniste. Sait-il qu'il ment ? Je ne le crois pas. Le mensonge est inhérent à son être. Un mensonge aussi poétique et beau qu'un chant de merle. Je vois une preuve de sa bonne foi dans le fait qu'il ne semble pas se soucier de la vraisemblance. Ainsi lorsqu'il s'écria, après avoir dépeint l'incohérente agitation du Paris littéraire, et cela avec une ardeur d'ascète parlant de son ermitage : « ... C'est pourquoi j'habite Versailles ! », il ne pouvait pas espérer nous faire oublier qu'il était ici pour écrire sa pièce et que, sa pièce étant achevée, il allait d'un jour à l'autre regagner Paris. Je le crois dupe de son inspiration : c'est un comédien — mais il joue avec son cœur.

Je ne rapporterai que les points significatifs de son immense monologue. Ceux qui eurent trait à André Gide, particulièrement. Là, je ne crois plus à la parfaite innocence de notre Jean Cocteau. Il y a dans son verbe, bien cachée sous l'amitié qu'il dit éprouver pour Gide, et dissimulée aussi par une drôlerie à l'air bon enfant, une malveillance certaine et dont les raisons ne me semblent pas désintéressées. J'ai pressenti la jalousie — et mon cœur s'est par moment serré, tant la gêne était forte, et je ne sais quelle inexprimable angoisse.

En attendant, c'est lui, Cocteau, qui accuse Gide de jalousie. Il prétend, comme c'est vraisemblable ! que le succès des *Parents Terribles* empêche son ami de dormir, et qu'il a aussssitôt écrit toute une pièce qu'il essaye vainement de placer de théâtre en théâtre. Il lui reproche de n'avoir pas hésité à écrire un *Œdipe*, aussitôt après le sien, et la drôlerie du mot que Gide eut à ce sujet n'excuse pas, à ses yeux, le procédé : « Que voulez-vous, cher ami, il y a une... œdipémie ! » Il assure que le succès de Marcel Proust et la place qu'il prit à la *N. R. F.* le consterna et qu'il fit une scène parce que Proust avait son portrait en pied dans la maison, alors que lui, Gide, n'y était honoré que d'un buste. Il ajoute que c'est lui, Gide, qui avait machiné la candidature de Valéry à l'Académie, avec l'espoir secret d'un échec, et que son élection lui fut très désagréable. Il se serait vengé par ce mot : « Cher ami, vous avez joué à qui gagne perd ! » Il dit bien d'autres choses encore : par exemple que Gide ménage toujours la chèvre et le chou ; qu'il mena un double jeu antipathique lors des démêlés que lui, Cocteau, eut avec les surréalistes ; que sa polémique avec lui, après la guerre, manqua de dignité ; qu'il fut assez déshonnête, plus récemment, pour attribuer dans la *N. R. F.* à une date récente une lettre qui avait été écrite alors que lui, Jean Cocteau, avait dix-sept ans — ce qui tout de même changeait tout; que Gide défendait les Encyclopédistes contre Rousseau, s'assimilant, à bon droit du reste, à Grimm-Diderot et confondant assez justement Cocteau avec Rousseau; qu'il fit, à ce sujet, dépêché par la *N. R. F.* un très long voyage pour venir le dissuader de publier sa réhabilitation de Rousseau (qui, selon Cocteau, n'avait pas la manie de la persécution, mais était réellement persécuté). Mais Gide ne voulut pas se laisser convaincre et prétendit, comme s'il avait assisté à la chose, que Jean-Jacques était mort d'une ignoble façon — que Cocteau rapporta crûment, mais que je préfère taire. Tout cela avec d'extraordinaires imitations de la voix fusante de Gide, tout cela entremêlé de louanges sur la grandeur de Gide, son génie et sa haute dignité et, aussitôt après, d'extravagantes anecdotes soigneusement choisies ou inventées pour montrer les plus petits côtés de ce grand personnage. (...)

On ne peut pas tout dire : je passe sur les étonnantes histoires de la famille Daudet (Madame Daudet brûlant « pour faire de la place » quantité d'aquarelles « sans valeur que ce pauvre M. Cézanne avait données à Alphonse à qui il devait de l'argent » !); sur Barrès, dont Cocteau disait que c'était un homme prodigieux, mais qui avait vendu son âme au Diable; sur ce passionnant aveu de Valéry : « M. Teste ? Le début d'un roman que je n'ai pas pu continuer... »; sur bien d'autres choses encore.

Pierre Guérin était arrivé à la fin du repas. Il avait fallu attendre qu'il dînât à son tour. Puis, nous retrouvions la chambre : une seule petite lampe et Cocteau, soudain, avait l'air, dans l'ombre douce, d'un jeune homme. Son masque durci, torturé, affublé d'un reste gênant de fausse enfance, de jeunesse minée par le dedans et dont il ne reste plus qu'une forme vidée de substance, faisait place à cette figure presque belle et juvénile en tous cas. Sa taille mince, ce qu'il y a de fluet, de gambadant en son personnage ajoutait à l'illusion. Je pensais à ce que M. L. m'avait dit de son ancienne beauté.

Des glaces, que le clair-obscur approfondissait de mystère, répandaient dans la chambre une eau mystérieuse : eau de jouvence, ou plutôt d'éternité. Cependant, naturellement, Jean Cocteau parlait. Si l'on ajoute, à la fin de la plupart des périodes un *quoi ?* glapissant, destiné, j'imagine, à lui permettre de souffler, et qu'il lance machinalement, — si l'on éparpille dans son discours une poignée de *tu comprends* avec, de temps en temps, mais rarement, un *mon chéri* qui étonne parce que c'est à vous qu'il s'adresse et que vous n'êtes pas son chéri, mais c'est de sa part pure inattention, cela donne à peu près ceci : « Après les maîtres viennent immanquablement les petits-maîtres. Les maîtres ont du génie, le génie d'enfance, tu comprends : Gide, c'est la vieille Anglaise qui va voir les Pyramides avec un chapeau à voile vert; Claudel, c'est le bébé Cadum, quoi ? et Valéry est un gosse dissipé qui lève la main pour sortir. Les maîtres sont *invus*. Et cela se comprend : les gens n'aiment pas les costumes neufs : ils ont leur habitude. Rimbaud aujourd'hui est enfin *vu*, mais moi, c'est à mon tour d'être invu. Tu sais, ce que les médecins appellent une plaie en séton ? Une balle propre et rapide, qui traverse une partie du corps sans laisser de trace : la chair se referme d'elle-même. Ainsi de mon œuvre. Elle est invue à force de propreté et de vitesse. Et c'est normal. Ah ! on ne se délivre pas facilement de Rimbaud ! Regardez les jeunes poètes d'aujourd'hui... Rimbaud, c'est un chewing-gum qui colle aux pieds, on ne peut pas s'en dépêtrer. Quoi ? Mais quelle importance il a eue pour nous, de combien d'esclavage il nous a délivrés ! Grâce à lui on attaque l'image de front, sans le secours du *comme* et c'est énorme, cela. Mais les surréalistes par leur outrance nous perdaient. C'est Radiguet qui m'a délivré d'eux. Sans Radiguet, j'en serais encore à rechercher les plus baroques combinaisons. J'en serais à écrire des poèmes en trois mots sur des timbres-poste. A l'époque où vint Radiguet, personne n'écrivait plus de récits simples, de poèmes simples. Avec lui, la voie de la pureté était ouverte. Je compris enfin que le mystère, la poésie, toutes les merveilles de l'indicible pouvaient être exprimées, ou plutôt suggérées sans contorsions de l'esprit et du cœur. Sans Raymond Radiguet, je n'aurais pas atteint la perfection. *L'Ange Heurtebise*, par exemple, est une très belle chose, un tout sans défaut. C'est si pur, si beau que les voleurs en quête d'imitation tournent autour sans trouver une faille où se glisser. Inimitable, une telle merveille est inimitable. *L'Ange Heurtebise* est suspendu entre ciel et terre dans une solitude royale, telle une énorme pastille de menthe translucide accrochée à un fil invisible. Quoi ? Mais cela, les gens ne le voient pas. Je suis *invu*, tu comprends. Et c'est énorme, cette injustice. De Girau-

doux qui ne sait pas ce que c'est que le surnaturel, qui
parle des fées sans en avoir jamais rencontré, de
Giraudoux qui n'est pas autre chose qu'un poète
pour capitalistes — quoi ! — ou bien un prix-unique
de la poésie, on dit avec sérieux — et il laisse dire —
qu'il écrit avec son sang. Mais moi, je suis toujours
un aimable farceur. Moi qui me suis donné corps et
âme à mon œuvre. Moi qui n'ai pas hésité à provo-
quer la mort en duel. Après avoir écrit les dernières
pages du nouveau *Potomak* où je me mesure directement avec Elle, où je l'appelle, par ce que c'était
une nécessité pour moi de lui dire certaines choses,
j'ai vécu dans l'attente de l'accident. Et j'étais ennuyé
seulement à cause de Jeannot. Mais quant à moi,
cela comptait peu; il importait seulement de me
consacrer à mon message. C'est pourquoi je déteste
tellement un Voltaire, un Gœthe, qui sont vraiment
à mes antipodes. Gœthe, dont Gide me disait qu'on
découvrira peut-être un jour que c'est un mirliton
aussi gros que la colonne Vendôme ! Quoi ? On rit
pourtant de mes efforts ! Ce n'est jamais mon sang
qui est en jeu mais celui de Giraudoux dont l'*Ondine*
inacceptable déchaîne un cri unanime d'admiration.
J'ai écrit à Jouvet qu'il ne sert de rien d'éclairer de
l'intérieur les colonnes du Palais absurde qu'il nous
montre, si l'intérieur des personnages n'est pas illuminé, si ce sont eux qui sont opaques et morts comme
la pierre. Moi, un plaisantin ! C'est énorme. Quoi ?
Colette, à qui je demandais un jour comment il se
faisait qu'avec son immense talent elle n'ait pas encore
écrit ce qu'on appelle une œuvre, tu comprends, me
conduisit devant une glace et me dit : « Regarde-toi,

j'ai envie de vivre, moi, d'avoir de belles jambes et un corps solide ! Mais regarde-toi, tu n'as même pas gardé de strapontin pour t'asseoir ! » Elle avait compris, elle, que je m'étais fait stylo à force de me donner, tu comprends, et que mon sang coulait en flots d'encre. Quoi ? Mais Giraudoux, l'inauthentique, érigé en ascète de la poésie, c'est énorme ! Giraudoux, qui n'a pas la moindre idée de ce qu'est l'écriture automatique. Or, sans elle, pas de vrai chef-d'œuvre, pas de voix qui porte. Imagines-tu que tout ait été voulu, dans la *Princesse de Clèves* ou dans *Adolphe* ! Quel ennui, quelle tristesse, quelle froideur ! Mais l'inconcevable grâce de telles œuvres qui ont en apparence tout pour être froides, tristes, ennuyeuses, prouve que cette part de Dieu est intervenue, ce mystère qui dépasse l'auteur lui-même et lui fait dire plus qu'il ne croyait avoir à dire. Ainsi de ma *Machine à écrire*. Ainsi de mon nouveau *Potomak*. Ainsi de tous mes livres... »

Cependant, il se promenait de long en large, ou bien il s'étendait sur la chaise longue, et la perspective donnait aux semelles de ses souliers une importance d'hallucination qui faisait penser à certains dessins d'*Opium*. Il parlait, parlait, les yeux perdus dans le vague, le visage ardent. Il riait. Il grinçait. Il se moquait. Il imitait. Nous étions trois à l'écouter mais il nous tutoyait comme s'il avait eu un seul spectateur. Nous étions à ses yeux le public et il tutoyait le public.

Je passe sur ses nombreuses allusions au livre que j'écris sur lui. Il soupirait de cette injustice : voir Gide et Valéry entourés de tant de commentaires alors que jusqu'à ce jour, lui, Cocteau, ne faisait l'objet d'aucune critique sérieuse. Il expliquait une telle anomalie avec simplicité : l'œuvre de Gide faisait trop de concessions à l'actualité, n'osait pas assez s'aventurer dans l'inconnu. Tandis que lui !... Cet *acte gratuit* ou prétendu tel des *Caves du Vatican* le faisait rire : l'acte gratuit, c'eût été de jeter par la fenêtre un jeune homme resplendissant de beauté — et non pas ce vieux pantin. Jeter ce vieux pantin, ce n'était pas un acte gratuit mais un élémentaire geste d'hygiène. Je passe sur les incroyables anecdotes au sujet de Picasso, d'Igor Stravinsky (qui recommença *Le Sacre*, ou plutôt l'orchestration du *Sacre*, trichant avec lui-même, renonçant à la gloire de l'*invu* pour être vu, transformant en menuet la sauvage et magnifique musique de la création); au sujet de Max Jacob essayant de perdre sur leur demande, l'enfant adopté par les S... qui s'en étaient dégoûtés au bout de quelques jours : mais l'enfant croyait que l'on jouait à cache-cache. Il surgissait en riant, puis disparaissait en criant cou-cou. Alors il suivait de loin Max Jacob qui croyait enfin l'avoir semé et lui faisait très peur en reparaissant à l'improviste à ses côtés ! Le nouveau *Potomak* raconte cela. Cocteau nous lut ce passage à la fin de la soirée. Arc-bouté contre le mur, il était penché sur le lit où le manuscrit était posé : le contre-jour donnait à son visage la netteté d'une ombre chinoise. Le profil découpait sur la lumière ses arêtes précises. C'était d'un enfant que Jean Cocteau avait maintenant l'air, et d'un enfant malingre.

Marais apparut, de retour du théâtre où la repré-

sentation des *Parents Terribles* venait de s'achever.
Je mourais de sommeil. La petite auto de Guérin
m'emmena, exténué. Lannes aurait bien voulu rester :
il ne semble pas se lasser d'une comédie qu'il connaît
pourtant par cœur. Je n'en puis déjà plus quant à moi.
Et cette inauthenticité reparaît, que la lecture solitaire
de l'œuvre m'avait fait oublier. Quand suis-je dupe ?
L'autre jour, à la revue de Rip, un horrible acteur
imitait Jean Cocteau. On imagine l'ignominie d'un
portrait ainsi caricaturé. Ceci pourtant racheta bien
des doutes, ce soir, bien des inquiétudes : le visage
de Jean Cocteau. Son véritable visage, pétri de douleur et de joie, son visage d'homme. Ce visage-là,
au moins, on est bien obligé de le prendre au sérieux !

Samedi, 27 mai 1939.

ANDRÉ Gide me reçoit dans le petit salon qui précède le bureau de sa secrétaire : pour la première fois,
je le sens dès l'abord à son aise; il parle simplement
et sans se faire violence. Je souffre de mon visage
glacé, de cette timidité décourageante qui m'exas-
père d'autant plus qu'elle ne m'est pas familière. Mais
Gide ne semble pas s'en apercevoir.

La table nous sépare. J'ai l'air de passer un examen.
Gide signe une lettre, puis il me parle des réfugiés
dont la situation le préoccupe. Il me confie la lettre
de l'un d'eux que je dois transmettre à André Dubois
dès son retour, car je le reverrai avant lui. D'autres
missives jonchent la table : elles ont toutes la même
origine. « Je n'arrive pour ainsi dire plus à trouver

le loisir de faire autre chose, mon temps est dévoré :
mais de quel droit me détournerais-je de ces souffrances ?... » Il parle longuement de l'arbitraire
policier et me lit les passages d'une lettre signifi-
cative qu'il me charge de remettre à Dubois.
« ... Rassurez-vous... Nous allons parler d'autre
chose... Venez : nous serons mieux dans mon
bureau... »

Je le précède dans le long couloir. « Asseyez-
vous là... » Il me désigne le plus confortable fauteuil
et s'installe devant moi, un peu de biais. Je me sens
plus en confiance. Il me parle de la petite Catherine :
« ... Elle n'a rien lu de moi... Sauf *La Symphonie
pastorale* qu'elle m'a demandée, l'autre jour, après
avoir vu le film que les Japonais en ont tiré. Mais
elle ne m'en a rien dit depuis : je ne sais pas ce qu'elle
a pensé. Elle est très intellectuelle pourtant. Je lui
laisse toute liberté dans ses lectures. Mais elle n'a
que quinze ans et je lui dis souvent : « Tu as tort de
lire ce livre... Tu en profiterais beaucoup mieux plus
tard... Tu gâches un chef-d'œuvre... » Jusqu'à ces
derniers jours elle était mécontente de déceler en elle
un trait de caractère qui la rapprochait de moi. Ainsi
lorsqu'elle découvrit que nos signatures étaient
semblables, avec le même paraphe et le même point.
Depuis peu, au contraire... »

Tout cela n'est pas inintéressant, mais nous savons
bien qu'il nous faut aller plus avant. Je lui donne la
réplique. Une comparaison est ébauchée entre mes
sœurs et Catherine. Nous tournons autour du pot.
Je le regarde : il porte une veste de velours noir et
ses épaules sont recouvertes d'une ample gandourah

bleue. Il a l'air gêné. Je ne l'aide pas beaucoup. Mais peu à peu la glace se liquéfie, et nos cœurs libérés s'épanouissent :

— Votre lettre m'a beaucoup touché, Claude... Je veux que vous me connaissiez mieux, que vous me voyiez tel que je suis, et non pas seulement à travers la littérature...

— Mais j'avais appris à vous connaître dans vos livres : je vous ai trouvé tel que je vous attendais; je n'ai eu aucune surprise. Je vous aimais déjà. J'ai seulement appris... à vous aimer un peu plus...

— En tout cas, je me sens en confiance avec vous, et je m'en étonne presque. Vous m'êtes beaucoup plus proche que votre père... A lui aussi j'aimerais parler. Mais il me faudrait, je le sens, de longs travaux d'approche. Tandis qu'avec vous, je crois que cela ira très vite...

— C'est que je suis peut-être capable de vous comprendre, de tout comprendre.

— Votre lettre m'en a été une nouvelle preuve.

— Pour en revenir à mon père, il vous aime bien, vous savez...

— Je le sais... Il y a entre nous une timidité qui tient à mon âge, et peut-être au sien : je ne me sens vraiment proche que des jeunes gens. Mais que nous nous aimions, je n'en ai jamais douté : à la fin d'un séjour à Pontigny où nous étions demeurés l'un et l'autre sur nos gardes, je lui dis, au moment de la séparation et sans l'avoir voulu, parce que ce silence me pesait sur le cœur : « Je vous aime bien, Mauriac... » Et il me répondit : « Hélas ! Je ne vous aime moi aussi que trop... »

Il y eut un silence, puis il a dit :

— Je ne veux pas me séparer du manuscrit dont je vous ai parlé... mais si vous aviez quelques instants...

Trois minutes après, j'étais seul devant le fauteuil vide où il avait abandonné sa gandourah bleue. Je lisais sur un petit cahier la sage écriture si connue : déjà m'émerveillait la pureté retrouvée de ce style unique. Un épais silence écrasait la pièce, l'appartement, la ville tout entière. Gide chantait la noblesse, la grandeur de sa femme Madeleine. Il décrivait cet amour qu'il lui vouait et dont c'était le caractère essentiel que d'être absolument détaché de la chair. Il disait son remords : parce qu'il cherchait et qu'il trouvait ailleurs la jouissance, il était heureux, sans penser que sa femme pût avoir besoin d'autre chose que d'une passion éthérée. Mais il n'imaginait même pas, à cette époque, que Madeleine pût être comme les autres femmes...

Un peu avant son mariage, il avait pourtant été confier ses craintes à un médecin; il lui avait avoué où allait son désir : il lui avait demandé si sa nature était compatible avec le mariage. L'autre avait traité d'imaginaires ses préoccupations. Après son mariage, il n'y penserait même plus. Grave erreur de diagnostic : la théorie du psychiâtre ne tint pas devant les faits...

André Gide dit alors comment il se découvrit totalement impuissant vis-à-vis de sa femme. Il ne précise pas : mais on devine qu'il n'y eut pour ainsi dire jamais entre eux de contact charnel. Madeleine souffrait, mais elle ne songeait d'abord qu'à s'accuser : « Je ne suis pas assez jolie... C'est de ma faute. »

Ignorant tout encore des vrais instincts de son mari, elle disait avec un pauvre sourire étonné des *Nourritures Terrestres* que c'était un livre qui lui ressemblait bien peu...

Gide était entré une première fois sous le prétexte de chercher sa gandourah : « Ce n'est point par coquetterie : mais je suis transi... » Puis il était reparti... Mais en ce point de ma lecture il revint s'asseoir dans le bureau : à quelque distance de moi, sur ma gauche. Je devinais sa présence ; il tournait les pages d'une revue : son souffle puissant ponctuait le silence. Je n'osais par le regarder ; j'étais gêné.

J'étais gêné parce que le récit devenait très intime : je me demandais où il trouvait le courage de rester à mes côtés tandis que je prenais connaissance des plus troubles parties de sa vie. Je n'avais certes pas envie de sourire, ni de me formaliser, ni de le juger : mon admiration restait totale et total mon respect. Si je le plaignais, ce n'était pas pour sa vie, mais pour la douleur qui lui faisait cortège.

Il racontait comment dès son voyage de noces, sa nature avait pris le dessus. Dans je ne sais plus quelle ville d'Italie, il passait de longs moments sur la place où les peintres choisissaient leurs modèles. Il faisait venir dans sa chambre sous prétexte de le photographier celui qu'il avait élu. Sa femme abandonnée restait seule des journées entières...

De là ils passèrent en Afrique. Dans un train, un jour, de tout jeunes écoliers, à demi nus sous leurs chemises ouvertes, jouaient dans le compartiment voisin. Penché à la portière, Gide pouvait les toucher de la main : sa caresse allait d'une épaule à l'autre ;

c'était tout ce qu'il avait la possibilité d'étreindre, mais il était si bouleversé déjà qu'il devait avoir un terrible visage. A l'hôtel, le soir, sa femme lui dit qu'il avait eu l'air d'un fou, ou d'un assassin, et ces mots se gravèrent en lui.

Suit le récit de ce drame du silence dont il m'a parlé l'autre soir et qui s'échelonna sur une vie entière. Sa femme ne lui posa jamais aucune question; elle s'abstint de lire ses livres pour lui laisser toute liberté; et lui, il mena de front cet amour désincarné mais plus intense que la passion, avec des aventures de son goût, ailleurs, selon la loi de sa chair.

Madeleine s'enfonçait de plus en plus dans l'amour de Dieu et, de plus en plus, elle s'éloignait de lui. La peinture qu'il nous en fait est celle d'une femme en tous points différente de ce qu'il aime, de ce qu'il est. Portant sur autrui des jugements sans appel. Sûre de la vérité, et par là, intransigeante. Blessée par tout ce qui s'écarte de la morale traditionnelle. En un mot conventionnelle et digne, comme la plupart des femmes d'un milieu que je connais bien. En somme bornée dans sa charité, bien que Gide, du fait de son amour, ne l'ait pas vue ainsi. C'est lui qu'il accuse, car il l'aime telle qu'elle est. Ses yeux s'ouvrant enfin, il découvre sa cruauté. Elle l'aimait dans sa chair; elle eût désiré avoir un enfant de lui : elle en était réduite à transporter sur un neveu son amour maternel inemployé. Il y a une chose que Gide n'avoue pas, dans cette confession où il va si loin pourtant : c'est que cet enfant qu'il refusa à sa femme, il le donna à une autre. Le comble est ici mis au drame : l'aventure se hausse à la grandeur des tragédies antiques. Tout à l'heure, avant de me confier son manuscrit, il m'avait dit : « C'est une bien étrange histoire, une histoire qui nous dépasse tous... » (...)

Je lis... Et Gide remue, tousse, soupire dans le silence. Je lis la fin du drame, une fin qui s'étend sur des dizaines d'années : Gide veut se rapprocher de sa femme qui de plus en plus lui échappe dans la dévotion. Elle renonce à sa beauté. Elle se sacrifie. Elle n'écoute jamais ce que son mari lui dit : ses conseils, ses objurgations se brisent, ou plutôt glissent sur son impassible indifférence. Elle ne dit jamais non mais considère comme nul et non avenu chacun de ses désirs. Gide se désespère de voir les délicates mains de Madeleine livrées aux plus dures besognes et devenir peu à peu informes. De guerre lasse, il finit par abandonner la partie...

Un peu avant la mort de sa femme, ils se rapprochèrent : ou plutôt ce fut elle qui revint à lui. Les injures dont il fut accablé à la suite de son livre sur l'U. R. S. S. leur furent un terrain d'entente. Pourtant le silence continua. Aucune allusion, aucune explication : mais Madeleine lui laisse soigner ses pauvres jambes variqueuses et son corps déformé, Madeleine lui adresse de pauvres regards de reconnaissance. Et ce bonheur lui suffit. Il l'aime plus que jamais. Il aime cette vieille femme enlaidie aussi intensément qu'il aimait la jeune fille d'autrefois. Il se demande d'où vient que son amour continue de s'épanouir en l'absence de ce qui semblait lui servir de condition : la beauté physique. Il se demande si ce n'est pas son âme qu'il a toujours aimée...

Puis ce fut la mort... Ici ma pensée recouvre le

récit : je ne sais plus ce que Gide écrit; je sais seulement que j'ai embrassé d'un regard sa vie, cette vie où le point final était mis, puisque sa femme n'était plus là autour de laquelle depuis l'adolescence était centrée son existence. Je l'ai vu enfin dans sa solitude réelle. J'ai murmuré :

— Dire que Marcel Arland...

Il a soupiré. Il a dit :

— Claude, je suis content : maintenant vous me connaissez mieux... Vous reviendrez lire le journal qui suit, ce sont les parties que j'ai supprimées dans le volume qui va paraître : elles complètent ce que vous venez de parcourir...

Il m'a demandé si quelqu'un comme moi, pour qui tout cela était neuf, comprenait bien le développement du drame. J'ai dit qu'il n'y avait aucune obscurité, chaque mot étant lourd de sens. J'ai encore dit :

— Je suis désolé d'être incapable de vous parler... Je suis trop ému...

En fait, j'avais l'impression de l'avoir déçu, de ne pas m'être montré digne de lui, de la confiance qu'il avait mise en moi. Et puis, comme je partais, il y a eu ce court dialogue :

C. M. — Évidemment, sur le plan humain, la boucle est fermée, c'est fini, tout est fini...

A. G. — Oui, tout...

C. M. — Mais il reste le plan métaphysique... Là tout peut commencer...

A. G. — Il reste ce plan, oui...

Il coupa court et me poussa dehors. L'heure pressait. Je dus prendre un taxi.

Vémars, Lundi de la Pentecôte, 29 mai 1939.

Je lis dans *Si le Grain ne meurt* ces lignes si émouvantes pour moi, après ce que j'ai appris samedi : « Je sentais que dans ce petit être (celle qui devait être sa femme plus tard, mais ce n'étaient encore que deux enfants) que déjà je chérissais, habitait une grande, une intolérable détresse, un chagrin tel que je n'aurais pas trop de tout mon amour, de toute ma vie, pour l'en guérir... J'avais erré jusqu'à ce jour à l'aventure ; je découvrais soudain la raison, le but, la dévotion de ma vie. » Il ajoute que là était le secret de sa destinée.

J'écris à Gide :

« Je confierai ce mot à maman qui rentre avant moi à Paris. Il ne vous apportera rien car je ne sais rien vous dire de ce que j'ai éprouvé samedi, à cette lecture : il m'a semblé entrer si profondément dans chacune de vos angoisses, en pénétrer si bien le sens, qu'en parler ne servait de rien. J'aurais aimé que mon regard et mes quelques balbutiements vous aident à comprendre cela.

» Pour ce qui est de la clarté de votre témoignage, je vous dirai ceci : précisément parce qu'il n'est pas de voix plus claire que la vôtre, précisément parce que vous allez, dans l'aveu, jusqu'au bout de vous-même, le silence qui est fait sur un point capital — la petite C. — fausse votre récit. Il n'est possible d'en bien mesurer le tragique — et la grandeur —

que si l'on sait cela. Mais je n'ignore pas quelles graves raisons vous empêchent d'être complet à ce sujet. Je vous l'indique seulement — ou plutôt je vous montre qu'il ne m'a pas échappé — pour vous rendre sensible une fois de plus cette impossibilité où finit toujours par se heurter une tentative de sincérité. Mais peut-être la partie du *Journal* que je n'ai pas lue ou bien le texte lui-même contiennent-ils des indications sur ce point. J'étais tellement ému — et votre proche présence me troublait si fort — que j'ai bien pu laisser échapper l'essentiel...

» Monsieur, mon père et moi avons fait, avant-hier, à votre propos, un beau rêve... Nous devons partir à la fin de juin pour Malagar. Malagar, ce sont des vignes étagées devant la plus jolie vue de France (!). Malagar, ce sont de bonnes journées de travail, chacun de son côté, avec la détente des repas, qui y sont savoureux mais que l'on veille à ne pas faire trop lourds à cause de la nécessité d'avoir l'esprit clair, pour travailler; et ces autres détentes : les promenades le long du ruisseau, à la fin de la journée, et les plus émouvantes soirées que je connaisse, sous le ciel le plus mangé d'étoiles que j'aie jamais vu... Or nous avons fait ce rêve, mon père et moi, au même moment et sans nous être donné le mot : vous emmener là-bas avec nous deux. Nous nous sommes l'un à l'autre raconté ce que ce serait. C'était merveilleux. Il ne dépendrait que de vous que ce ne soit pas là un rêve. A bientôt. Je suis votre ami très respectueux, très affectueux. »

Paris, mercredi, 31 mai 1939.

D<small>E</small> onze heures à trois, avec André Gide. Une de ses phrases résume bien l'esprit de cette rencontre : « Généralement, ce sont les jeunes gens qui viennent se confier à moi, et c'est normal. Tandis qu'il n'est pas naturel que ce soit moi qui fasse des confidences à un garçon de votre âge. Et pourtant il en est ainsi : vous m'écoutez et c'est moi qui m'explique, et qui m'explique intimement, très intimement... Comme c'est curieux... »

Dès mon entrée, je vis ma lettre posée en évidence, sur une table. Après avoir tourné un peu autour du pot, Gide m'en parle. Il aborde en premier lieu le point capital que je lui avais signalé. (...) Il ne sait que répondre lorsque je lui dis : « Vous me disiez vouloir publier cet écrit pour mettre définitivement un point final à toutes les interprétations erronées, ou tendancieuses, qui fourmillent à propos de vos rapports avec votre femme ; vous me disiez : « La vérité, toute la vérité est préférable au mensonge. Cette mise au point est nécessaire. » Or je vous montre que vous n'avez pas dit toute la vérité, qu'il ne vous est pas possible, pour des raisons fort compréhensibles, de la dire. Alors, à quoi bon ces demi-aveux ? »

Il murmura que j'avais raison, qu'il y avait toujours un point au-delà duquel on ne pouvait aller dans la confession. Il ajouta qu'il n'était pas content de ces pages, qu'elles donnaient une idée fausse de la vérité ; et pour me le prouver, il me montra une émouvante lettre de sa femme datée de 1918, année cruciale de leur drame : « Ma part a été très belle, lui écrivait-elle. J'ai eu le meilleur de ton âme, la tendresse de ton enfance et de ta jeunesse. Et je sais que, vivante ou morte, j'aurai l'âme de ta vieillesse... »

Gide me dit alors combien il doute de lui-même, quelle difficulté il éprouve à écrire maintenant. Sa voix se fait très basse lorsqu'il évoque cette pièce à laquelle il travaille depuis si longtemps : les préoccupations sociales dont il l'a chargée à l'époque où il la commença, l'alourdissent, et il essaye avec peine de la remettre sur pied en l'en délivrant : « Madame Théo Van Rysselberghe, la grand-mère de la petite Catherine, dans l'opinion de qui j'ai grande confiance, a lu l'autre jour ce que j'avais réécrit de cette pièce. Son jugement m'a porté un coup : « Je vous déconseille de continuer dans cette voie. » Voilà ce qu'elle m'a dit... »

Il soupire, sa voix s'éteint un peu plus encore, mais une émotion nouvelle, en sourdine, la fait vibrer : « Claude, il y a des jours où je me demande vraiment si je puis encore dire quelque chose, si je n'ai pas achevé mon œuvre. Un vers m'obsède, celui où il est parlé du repos qui doit suivre les vendanges. Après vendanges faites... Je médite et je remédite ces mots. Depuis trois ans, je n'écris plus rien dont je sois satisfait. Ce qui est devenu *Geneviève* était parti pour être un long, un très long roman. J'ai tout brûlé; c'était mauvais, très mauvais, excessivement mauvais. J'ai détruit d'autres choses encore, bien d'autres choses... Vous me parlez d'une suite à *Si le Grain ne meurt* où, dites-vous, mon aventure conjugale se trouverait englobée, ce qui m'éviterait de la trahir, car il importe, ajoutez-vous, de ne pas la séparer de ce qui y fut de près ou de loin mêlé. Impossible... Ce serait trop compliqué, trop délicat. Roger Martin du Gard, qui tient un extraordinaire *Journal* a fait, je crois, ce travail pour moi en notant toutes mes conversations sur ce sujet — quel sujet complexe, mystérieux ! — Il y eut en particulier trois jours où, comme je demeurais près de lui, à la campagne, je lui ai tout dit, par le détail, de ces aventures incroyables... Oui, je doute, Claude, je doute horriblement. Et je veux vous dire combien votre présence m'est précieuse et votre affection. Elles peuvent m'aider, beaucoup m'aider... »

C'est alors qu'il a fait allusion à la bizarrerie de nos rapports où les rôles de confidents sont renversés. Puis il a dit : « A Malagar, si je vous lis ma pièce — et je vous la lirai, car j'espère que l'atmosphère là-bas sera propice à une reprise de mon travail, — il faudra l'un et l'autre que vous ayez le courage des vrais amis, celui de me dire aussi cruellement que le fit Madame Van Rysselberghe, s'il en est besoin, votre jugement sur la valeur de mon texte. »

Car nous avons aussi parlé de Malagar. Avec quelle émotion, où la joie se faisait pudique mais jaillissante tout de même, Gide avait accepté l'idée de ce séjour ! Je lui montrai sur un vieil atlas où se trouvait Malagar; je lui expliquai de nouveau le charme de cette vie de travail avec la récompense, le soir, de bonnes conversations. « Je me laisse séduire, je suis séduit... Vous savez que je ne suis qu'une pauvre épave... Quelle raison aurais-je de refuser... » Et il me demandait des précisions, des dates, et nous nous racontions (comme je le fis avec mon père, l'autre jour) ce que ce séjour nous apporterait aux uns et aux autres.

Je n'y pense pas quant à moi sans émotion et ma curiosité est vive.

Donc il me parlait de sa pièce, « cette pièce difficile dont il ne venait pas à bout ». Et comme je lui citais la rapidité de X..., Gide assura que c'était lui qui était dans le vrai et qu'il avait écrit quant à lui une grande partie de *Saül*, la meilleure, en une seule journée. Gide se recueille alors un moment, puis il me fait à mi-voix cet aveu surprenant : « ... J'ai connu ce qu'était la jalousie. A propos de Z... Il était un peu mon œuvre. Je l'aimais. Il avait dix-huit ans. Voilà qu'il rencontre X..., et que celui-ci déploie pour le séduire une coquetterie satanique. Vous n'imaginez pas quelle séduction il pouvait avoir dans sa jeunesse. Je sentis bientôt Z... se détacher de moi. Il admirait X... et ce prestige dont il le revêtait me rejetait aussitôt parmi les ancêtres dépassés, les ridicules vieilles barbes. Vous dire ma souffrance ! Ce fut horrible. C'est horrible, la jalousie. Je crois que j'aurais été jusqu'à le tuer, vous entendez. Je n'en pouvais plus d'angoisse. Par bonheur, Z... fut assez clairvoyant pour ne pas s'abandonner. Je suis presque sûr qu'il ne s'est rien passé entre eux... »

Se rend-il compte de la gravité de ces paroles, de leur poids, de ce qu'elles engagent ? Il continue de la même voix étouffée, concentrée, tendue : « ... Vous saviez, n'est-ce pas, qui j'étais avant

d'avoir lu ces notes ? N'est-ce pas ?... Je veux dire
au point de vue sexuel ? Vous n'avez donc eu
aucune surprise... » Et comme je lui dis que je
viens de relire *Si le Grain ne meurt*, il me donne ces
indications : « Du Bos affirmait que toute la première
partie était inutile, ennuyeuse. Il ne comprenait
pas que je n'avais écrit ce début que pour annon-
cer les révélations de la fin. Je voulais montrer quelle
base normale, ordinaire, avait la vie extraordinaire
de ma jeunesse. Ce monstre dont on s'étonnait, je
voulais montrer qu'il avait reçu l'éducation la plus
bourgeoise, la plus naturelle... » Je fus sur le point
de m'écrier : « Rien de normal dans cette enfance,
dans cette adolescence puritaines. » Mais je préférais ne pas l'interrompre. Nous parlâmes alors du
livre que je suis en train d'écrire sur Cocteau. « Je
pense que vous pourrez nous donner un bel essai,
me dit-il. Je vous crois assez fort pour échapper
aux périls de ce milieu... » Et comme je répondais :
« Je le crois aussi ! » il y eut ce dialogue :

A. G. — Claude, avez-vous fait, déjà, dans
votre vie — comment dirais-je, oui : quelque chose
de mal, je veux dire : une imprudence, un geste que
vous avez regretté ensuite, mais qui vous a, comment dire ? — enfin : porté un moment au-delà de
vous-même ?

C. M. — Vous touchez là au point le plus sensible..., je suis immodérément raisonnable...

A. G. — C'est en effet la logique qui m'a frappé
dans vos articles de *La Flèche*. J'admirais qu'un
garçon de votre âge ait un tel empire sur lui-
même, un tel équilibre...

C. M. — Il n'y a rien à admirer, croyez-moi. Je souffre de cette incapacité où je suis de me passionner jamais... J'en suis réduit à tout comprendre des amours d'autrui — à comprendre *par le dedans* les plus folles passions — mais sans les éprouver moi-même...

A. G. — Comme c'est curieux...

C. M. — Et douloureux. Si vous me demandiez une confession, j'aurais beau fouiller mon passé, je ne trouverais aucune imprudence, rien d'un peu mal, ni d'un peu bien, mais une froide logique, encore et toujours.

A. G. — Je conçois que c'est une faiblesse en même temps qu'une force...

Nous allons déjeuner. Assez morne conversation sur la critique. Comme je dis regretter de n'être que cela — un critique — il me chante les louanges des critiques qu'il égale aux autres artistes. « ... Ce sont des créateurs eux aussi... » Il me parle de Sainte-Beuve, dont le *Port-Royal* est aussi beau que le plus beau poème, mais à qui il reproche d'avoir traité Ronsard avec désinvolture. Un petit restaurant nous accueille, au coin de la rue Saint-Guillaume et du boulevard Saint-Germain. Il me parle de Jean-Paul Sartre avec admiration, de Georges Duhamel, de Malraux.

Retour rue Vaneau. La conversation languit. Mais je me sens dégagé de toute gêne : le silence ne me pèse pas. Puis tandis que Gide fait la sieste dans une pièce voisine, je lis le *Journal* qui accompagne la confession de l'autre jour : pages supprimées de l'édition qui va paraître. De 1917 à 1925, avec l'année capitale : 1918. Le drame s'épaissit. Madeleine, un jour, pour se délivrer de lui, brûle toute la correspondance qu'elle a reçue d'André, à qui cette nouvelle porte un coup terrible : ces lettres où, depuis son enfance, il avait mis le meilleur de sa tendresse, il comptait sur elles pour le justifier devant les hommes, pour la justifier, elle, en montrant quelle place elle avait tenue, quel avait été le niveau intellectuel et moral de leur attachement. Leur destruction le diminue à tout jamais : nul ne l'approchera maintenant dans sa vérité. Son existence n'est plus qu'une symphonie où manque une partition essentielle, un édifice découronné.

Il pleure. Sa femme feint de ne pas s'en apercevoir : c'est en faisant semblant de ne plus l'aimer qu'elle veut le détacher d'elle et se détacher de lui. Or son amour ne fait que croître. Mais il sait bien qu'il ne pourrait plaire à Madeleine qu'en renonçant à la plus essentielle part de son être, qu'en cessant d'être lui. Il ne l'en aime pas moins. Mais elle n'en sait rien. Elle veut n'en rien savoir. La poésie ? La musique ? Elle ne s'en préoccupe plus. Parce qu'elle ne les aimait qu'à travers lui — et qu'elle ne l'aime plus, dit-il d'abord. Puis, de nombreuses années après, avec plus de lucidité : parce qu'il les aime. Elle a peur de le retrouver dans ce domaine, alors elle se l'interdit, lui aussi. Et Gide de noter que *Les Faux-Monnayeurs* fut le premier de ses livres que ne suscita pas le désir de convaincre sa femme, de s'expliquer à ses yeux, de lui donner le moyen de le juger en équité. (Et *Les Caves* ?)

J'ai fini. Gide revient : je balbutie quelques mots, puis je m'échappe. Il me rappelle pour me faire lire une inintéressante lettre de Jef Last sur un de ses amis des Brigades internationales — (intéressante en soi. Mais j'ai le cœur ailleurs...).

Dehors, je téléphone à papa la bonne nouvelle : Gide accepte...

1er juin 1939.

En feuilletant le gros livre que vient de publier Jean-Pierre Maxence sous le titre *Histoire de Dix Ans* (1927-1937) je trouve citée la page de Marcel Arland dont nous avons tant parlé, Gide et moi, ces jours-ci : « Il y a dans l'œuvre de Gide une lacune immense et peut-être est-ce là, en définitive, ce qui provoque ma résistance. Cette œuvre semble ignorer la douleur... Toute l'intelligence de Gide, son intuition et la bonté véritable qui, je crois, est en lui, n'ont pu remplacer ce que la douleur lui aurait apporté s'il en avait accepté l'enseignement. » (*Essais Critiques.*) Maxence, que je m'étonne de trouver si compréhensif (sa collaboraton à *Gringoire*, son parti pris dans certaines occasions, me le faisaient trop rapidement assimiler à B... !), Maxence écrit ces lignes qui l'honorent : « Deux heures d'une conversation libre, naturelle, furent pour moi une révélation après laquelle il y a certaines accusations que je ne laisserai plus porter contre Gide. Taxer cet homme de duplicité, c'est marquer seulement qu'on ne l'a pas compris, et que rien ne vous le fera comprendre. Je sais peu de « maîtres » qui, comme Gide, marquent par une retenue charmante, une exquise mesure dans les propos, un tel souci de ne point peser sur la pensée de leur interlocuteur, de ne point le contraindre... On ne peut point, je crois, sans aveuglement ou sans malhonnêteté, contester la probité, la valeur de l'homme, sa qualité. » Et pourtant il donne raison à Arland. Il y a là un malentendu et qui porte je crois sur les mots. Ni Arland, ni Maxence ne peuvent prétendre que Gide ignore la douleur; ils lui reprochent seulement de ne pas axer sur elle son œuvre et son éthique.

Et maintenant quelques textes pour appuyer ce que la fréquentation de Gide m'a fait connaître de son caractère.

D'abord ces lignes de *Si le Grain ne meurt* : « J'ai toujours manqué à un degré incroyable de ce sens qui est à la base de bien des audaces : l'intuition de mon crédit dans l'esprit d'autrui; je vise toujours au-dessous de ma cote, et non seulement je ne sais rien exiger, mais le moins que l'on m'accorde je m'en sens honoré et déguise mal ma surprise. »

De Roger Martin du Gard, ceci qui explique le sentiment de détente, de légèreté que m'apporta ma dernière lecture de *Si le Grain ne meurt* : « Il a le don d'aiguiser le sens critique et d'augmenter l'auto-perspicacité de chacun, sans diminution de ferveur. Il fait plus encore : il exalte chez autrui non pas l'orgueil, certes, et je ne sais comment dire : une équitable vision de soi, une confiance modeste en soi-même. Je raconterai peut-être un jour ce qu'est un entretien intime avec André Gide. » Plus encore que nos conversations, *Si le Grain ne meurt* m'a apporté jusqu'à ce jour, cette allégresse.

De Massis, enfin, ces mots qui vont dans le sens de l'obsession d'impuissance que Gide m'avouait hier : « André Gide n'est point un créateur... Nul n'est plus habile que lui à masquer, à justifier même ses déficiences. Sa nature n'est pas riche. »

Paris, vendredi, 2 juin 1939.

A mon retour de Vémars, j'avais trouvé, et lu avec bien des réticences (je me souvenais de ce que Jouhandeau et surtout Cocteau m'avaient dit sur lui) une lettre de Maurice Sachs : « ... Votre livre m'a donné grande envie de vous connaître. Nous avons des amis communs dont quelques-uns ont eu même le temps de devenir mes ennemis, mais plutôt que de demander à l'un ou à l'autre de nous faire rencontrer, j'ai trouvé plus expéditif de vous écrire... »

Comme je parlais à Gide de cette lettre, il dut surprendre dans l'intonation de ma voix le peu d'estime où, sur la foi de ce qu'on m'en avait dit, je tenais ce personnage, car il s'écria : « Moi, je ne le méprise pas du tout... » Puis il m'en parla avec une gentillesse, mieux : une charité qui me troubla. Sur le vol que lui reproche Cocteau, il ignorait tout : il savait seulement qu'après mille errements, Sachs, désemparé, désespéré, avait tenté de se refaire une réputation. Il était venu voir Gide qui, à cause de ce qu'il avait appris sur lui (il ne précisa pas) le reçut avec froideur. Mais la sincérité du repentir de

Sachs l'émut; il le vit si malheureux qu'il décida de l'aider dans l'œuvre de régénération qu'il voulait accomplir. C'est alors qu'il le fit entrer à la *N. R. F.*

Je fus touché par la discrétion de Gide et ce qu'il y entrait de charité profonde. Pour l'avoir méritée, cet homme devait avoir sa noblesse. Je ne voyais plus en lui qu'un être malheureux. Gide n'eut dès lors pas grand-chose à ajouter pour me faire changer d'avis : car j'avais décidé d'abord de refuser cette entrevue.

J'allai donc prendre Maurice Sachs chez lui à la fin de la matinée. Nous marchâmes à la Muette et Avenue Henri-Martin : très jeune encore, mais un peu gros, la démarche entravée, ralentie par quelque mal caché; l'air plutôt sympathique et honnête, dépourvu en apparence de toute malveillance, même et surtout lorsqu'il parle de ceux qui sont ses ennemis : Jouhandeau, Cocteau.

Il me dit que ce qui l'avait poussé à me connaître c'était de voir qu'à mon âge, j'avais les mêmes admirations que les garçons de sa génération : Cocteau, Jouhandeau. Cela l'étonnait. Il eût plutôt attendu une réaction me poussant à méconnaître ce qu'avaient goûté mes aînés. Je lui fis remarquer que j'aimais en Jouhandeau ce qu'avaient en général ignoré ses précédents admirateurs, m'attachant au plus dépouillé de son œuvre et jugeant sévèrement tout ce qui avait plongé dans l'extase ceux qui la découvraient : cette somptuosité du verbe, lourde de mauvais goût et d'outrances (*Opales*), ces « clous d'or » dont parlait Max Jacob non sans émotion. De même pour Cocteau : je ne prétendais nullement à l'exemple de ceux qui, avec Maurice Sachs, eurent vingt ans dans l'immédiate après-guerre, qu'il rénovait la poésie, le théâtre et l'art. Je m'intéressais seulement au drame métaphysique de sa vie hantée de néant, et c'est cette lutte contre la nuit dont je recherchais la trace tout au long de son œuvre. Je jugeais avec lucidité Jouhandeau et Cocteau, ce qu'il avait été impossible de faire lors de leur apparition car ils éblouissaient trop alors pour permettre à la vision d'être vraie. J'ajoutai que je me trompais peut-être...

Sachs, qui me fit des compliments exagérés sur mon livre, semblait vouloir surtout prendre en moi la température d'une époque, d'une génération. Il m'interrogeait — sans indiscrétion, mais avec ténacité — sur mes maîtres, mes amis, mes goûts, mes admirations. Il me demandait lui aussi de quelles imprudences j'étais capable. Et voilà que je lui parlais avec confiance, comme à Gide, l'autre jour. Telle est ma faiblesse : de me confier facilement, d'être tout de suite trop direct, trop vrai. Attitude dont la spontanéité séduit ceux qui s'en voient l'objet. Ils ignorent que plus on me connaît, moins je me livre.

Nombreuses allusions à sa pédérastie. Je suis un peu ennuyé; je voudrais lui expliquer que la question ne se pose pas pour moi, que mes imprudences ou plutôt celles dont j'ai la nostalgie, sont d'un tout autre ordre. Je lui dis qu'avec Gide notre terrain d'entente le plus secret n'était pas la libération sexuelle mais celle d'un cœur épris de charité et de justice et qui demeure assez lâche pour continuer la plus égoïste, la plus bourgeoise existence.

Vendredi, 9 juin 1939.

(...) J'ai eu encore le temps, avant déjeuner, de faire un saut chez Maurice Sachs qui m'a convoqué ce matin... par dépêche. Ce qui est surprenant. Il s'agissait de diriger avec lui une revue. Le projet que nous avons fait, Roger Lannes et moi, d'en publier une me permet de ne pas chercher d'autres excuses. Il dit, avec un calme qui m'étonne : « Je suis assez lucide pour savoir qui je suis, pour savoir surtout ce qu'on dit que je suis. Je comprendrais qu'un jeune homme refuse de se compromettre avec moi qui suis si marqué. Quant aux mœurs... Quant à la réputation... Je me reproche, je regrette amèrement certaines indélicatesses. Je les pèse en moi... Je fais la part de mes excuses, des mensonges et des exagérations de mes ennemis : il en reste assez cependant pour que je comprenne votre méfiance... » Je lui réponds qu'il ne s'agit absolument pas de cela. Et je le regarde droit dans les yeux. Je dus détourner mon regard le premier.

Depuis son retour à Cuverville, j'essayai de joindre Gide : je lui téléphonai deux fois en vain; il m'appela à deux reprises en mon absence. Je l'eus enfin ce matin au bout du fil. Il m'invite à dîner ce soir chez Madame de Lestrange : hélas, je suis engagé. Nous parlons aussi de cet empêchement, provisoire — j'ose l'espérer : la difficulté où nous sommes de trouver une cuisinière pour le séjour à

97

Malagar. Je reçois un peu plus tard un long pneu de Gide sur les mêmes questions (il avait été envoyé avant le coup de téléphone qui nous permit enfin de nous toucher). Il m'y écrit notamment : « Votre mère me dit qu'il y a de l'incertitude du côté culinaire... J'ai dû abréger mon séjour à Cuverville pour des raisons du même ordre, la petite bonne que nous avions ayant été brusquement invalidée par une entorse. Quant à moi je me maintiens disponible pour la fin du mois. Si le beau projet de Malagar ne peut s'arranger, tant pis ! et surtout ne vous en faites pas. Je suis très entraîné pour le renoncement. Et si ça s'arrange tout de même, vous n'aurez qu'à m'en aviser dans le cours de la semaine prochaine. »

Mardi, 13 juin 1939.

Lettre de Gide : « ... J'ai désir de vous revoir, de toutes façons, et même si ce beau projet de Malagar ne peut se réaliser. (Surtout n'allez pas embêter vos parents en vous y cramponnant par trop !) Je sais du reste combien on est esclave des difficultés ménagères !... » Il me convoque pour vendredi.

Vendredi, 16 juin 1939.

Chez Gide de 10 à 11 h. 1/2. Débattu avec lui de questions matérielles : vêtements à emporter, valises, etc. Puis l'éternel errant, chassé de son refuge de La Celle par le retour de Du Bos, et que Gide a

accueilli avec sa femme dans l'atelier d'Allégret, j'ai
nommé Denis de Rougemont, vient. Il est en bras
de chemise, avec un visage détendu, comme je ne
l'avais jamais vu. Il me réitère sa promesse de
m'écrire un article pour *La Flèche*. Gide, Rougemont et moi parlons ensuite des réfugiés. Nous
en arrivons à cette conclusion qu'il ne convient
pas, sur notre modeste plan, d'être trop patient
avec le gouvernement. Il fait sa tâche en obéis-
sant à son devoir qui est différent du nôtre. A sa
place, nous serions peut-être forcés d'être injustes.
L'ordre public exige des sacrifices. Mais notre rôle
n'est pas le sien. Notre rôle est de le critiquer,
de l'empêcher de glisser dans toute la mesure
du possible aux solutions de facilité. Gide est très
séduit par l'idée d'une visite aux camps, dût-elle
ennuyer fort le cher André Dubois. Nous en
venons à cette autre conclusion que le ministre de
l'Intérieur n'est pas libre de ses mouvements, que la
Police, les Affaires étrangères, la Guerre bornent son
action, que nos campagnes s'adressent à toutes ces
administrations, non pas seulement dans la mesure
où elles sont responsables, mais aussi dans celle
où malgré leur bonne volonté, elles se gênent les
unes les autres. Dubois, quel que soit mon article,
n'aura pas à s'en formaliser. Ce n'est pas lui, ni
même précisément le ministre de l'Intérieur, qui est
en cause.

Gide me parle aussi de la préface que mon père a
faite au livre de Guillemin sur Flaubert : « ... C'est
très grave ! Dès qu'un libre-penseur est probe, dès
qu'il aime la justice et la vérité, les catholiques

l'annexent... Mais nous aussi nous avons nos saints...
Littré, Valéry... Nous aussi nous sommes capables
de grandeur... Je comprends la position des catholiques : possédant la vérité, ils sont assurés qu'il ne
peut y avoir de vérité sans eux... C'est, sur un autre
plan, le : « Tout ce qui est beau est français » et le
« Elle a trop de vertu pour n'être pas chrétienne »
de Polyeucte. Je crois que je vais répondre à votre
père, c'est trop grave... »

Il me parle ensuite de sa joie d'aller à Malagar,
où s'épanouiront toutes ses « conversations ren-
trées » qu'il a avec mon père. « Mais je ne suis pas,
vous le pensez bien, sans une certaine inquiétude... »
Il était vêtu d'une sorte de pourpoint de velours
noir. Ses joues étaient pâles, salies d'un peu de
barbe, coupées du trait perpendiculaire, à droite et à
gauche, des deux seules rides...

Confusion joyeuse et clarté de son visage intimidé et ravi, lorsqu'il évoque la gentillesse de mes
parents qui le reçoivent ainsi... L'air soucieux
parfois... Il raconte des histoires que je connais
déjà. (Péguy disant de Dante : « Ce touriste ! »
— Péguy, à qui on reprochait, au nom de la morale
chrétienne, sa sévérité pour Laudet-Le Grix répon-
dant : « Je ne juge pas, je condamne ! »)

Mardi, 20 juin 1939.

Dîner chez André Dubois, avec Lucien Sablé
et André Gide. Sablé, qui voit Gide pour la première
fois, est balbutiant d'émotion. Dubois, aux petits

soins, si attentif, si franc et aimable qu'il en paraît
plus charmant encore. Gide m'annonce que des
« ennuis dentaires » l'empêcheront de partir pour
Malagar en même temps que nous. Il arrivera lundi
ou mardi. Il parle de sa carrière avec une certaine
complaisance, qui me gêne, car je l'aimerais détaché
de toute vanité : « ... Inconnu ou presque, jusqu'à
la cinquantième année... Trois cents exemplaires de
Nourritures terrestres vendus en vingt ans !... C'était
ce qu'on appelle un é-chec... », etc. Intéressante
conversation à propos de mon Cocteau et de la façon
dont j'envisage le problème. Gide me dit : « Il me
semble que vous cédez au plaisir de créer le Jean
Cocteau de vos désirs... Le vrai Cocteau ne souffre
pas. » Et je réponds : « La vérité me paraît être
ceci : qu'un homme qui s'appelle Cocteau et qui
est un remarquable artiste, accumule dans son
œuvre les mensonges. Son talent lui permet de
donner le change. Et même au delà de toute espérance : car on nomme pitreries les pauvres sourires dont il voulait cacher sa douleur. On ne le
prend pas au sérieux, comme il le voulait, mais on
prend au sérieux ses cabrioles. Lui-même qui
souhaiterait oublier qu'il ment ne l'oublie jamais
tout à fait. Ses mensonges vont tous dans la même
direction. Ils visent tous au même but. Si bien qu'on
découvre avec un peu de réflexion ce qu'ils signifient. Ces mensonges ont un sens. Ils proclament tous
la même chose, la seule chose qui soit vraie dans ce
cœur, sa vérité. Or cette vérité est celle-ci : que la
mort l'épouvante et qu'il ne croit pas au surnaturel, lui qui ne parle que de l'au-delà, lui qui

prétend en connaître les voies. » 11 h. 1/2. Départ.
Gide, ravi que je le ramène en taxi (Dubois habite
à côté de chez moi, pourtant, et lui au diable,
rue Vaneau).

II

MALAGAR

Malagar, samedi, 24 juin 1939.

Avant de quitter Paris, mon père a reçu un billet
de Gide pour lui « souhaiter bon départ, bon voyage
et bonne arrivée à Malagar ». Gide ajoutait : « Il
me tarde de vous dire de vive voix combien m'a
touché votre aimable proposition de vous y rejoindre
— puisqu'un dentiste cruel s'oppose à ce que je
voyage avec vous. (...) Quel Ouf ! je pousserai
quand je me sentirai près de vous. Je vis dans cette
attente, et suis votre ami, André Gide. » (...)

A table, ce matin, alors que le beefsteak embaumait le sarment, mon père a dit : « ... Cette table où
nous sommes assis ne date que de Napoléon III...
Avec toi, c'est la cinquième génération qui y prend
place... Comme tout va vite... Ce n'est rien du tout,
la vie, rien... »

Le temps est lourd. Les vignes, le paysage, la
maison hostiles. Promenade jusqu'à Verdelais. Je
dis à mon père que j'ai été très frappé par un
passage où Valéry marque sa surprise de voir la

religion ôter au pécheur que la mort enlève, le bénéfice de sa pureté antérieure, et au repenti de la dernière heure la tache de ses fautes anciennes. De ces deux mortels l'un est sauvé, l'autre damné. Mais la vie de l'un est identique à celle de l'autre, prise en sens contraire. Et comme il n'y a pas de temps pour Dieu, Paul Valéry s'étonne... Mon père aussi. « Qui se permet, dit-il, de préjuger des sentences de Dieu ! Valéry est excusable. Ce sont les chrétiens qui, bien souvent, posent ainsi le problème, oubliant que tout l'Évangile prouve que la justice de Dieu n'a rien de commun avec la nôtre. Ce sont les théologiens, qui décident que l'un est sauvé, l'autre perdu. Mais nous n'en savons rien... La seule question est celle-ci : Dieu existe-t-il ? l'Amour existe-t-il ? Sur ce point, je comprends que l'on s'interroge. Mais si Dieu existe, qu'importent nos pauvres réflexions à son sujet. Il n'y a qu'à s'abandonner avec confiance. Nous ne serons pas déçus. Il est l'Amour. »

Et comme nous arrivions à la basilique, il dit : « Entrons Lui faire une petite visite... » Ce que nous fîmes. Aucune foi en moi alors, mais une grande bonne volonté. Je m'abandonnai, le cœur ouvert, sans autrement prier que par ce silence...

En sortant, nous avons été voir les quelques centaines de femmes et d'enfants espagnols réfugiés que Verdelais héberge. Le tonnelier qui a offert ses hangars nous guide. Phraseur, pharisien, très « à droite » sinon adroit, pas très certain pourtant que Franco soit bien pur : « Il a peut-être été un peu fort... » Un peu... Il nous dit que ses

pensionnaires sont tous hostiles au christianisme :
« Comment en serait-il autrement, dit tristement
mon père. Ils l'assimilent à Franco. Franco a fait en
sorte que des millions d'Espagnols voient dans le
Christ l'Ennemi n° 1... »

Les locaux sont propres, les visages sains et bien
nourris. Aperçu quelques magnifiques filles qui me
font rêver.

Dimanche, 25 juin 1939.

Gide, incapable d'invention ? Je relis *Les Faux-
Monnayeurs* dans de vieilles *N. R. F.* (je n'en n'ai
malheureusement ici qu'une partie) et m'étonne d'y
trouver à la fois si peu de pouvoir dans l'invention et tant de précisions dans le souvenir. Nul
doute que ne soit très grande dans ce « roman »
la part du journal authentique. Il y a chez André
Gide une certaine incapacité à imaginer, ou du
moins à mener jusqu'à ses conséquences dernières
une aventure dont il a inventé le principe. Ainsi le
caractère de Bernard est-il donné dès le début et
ne s'épanouit-il qu'au détriment de *sa* vérité, au
profit de *la* vérité de Gide.

Je reconnais dans le personnage de Robert de
Passavant certains traits du caractère de X... Bien
plus : les confidences que Gide me fit à son propos
me donnent la clef des rapports qui se nouent
dans le roman entre Passavant et Édouard. Olivier
n'est autre que Z... Tout ce que Gide m'a avoué, je
le retrouve ici, à peine transposé. Ce sont les termes

107

mêmes, bien souvent, que ceux entendus de sa bouche, le jour où il m'a parlé de la jalousie qu'il avait éprouvée. Je cite *Les Faux-Monnayeurs* (il n'y a qu'à se reporter à mon journal d'alors pour comparer) :

« Tout ce qu'Olivier racontait si complaisamment de Robert l'indignait et achevait de le lui faire prendre en haine...

... Bernard murmura... Qu'est-ce que vous pensez du comte de Passavant ?

— Parbleu, vous le supposez bien, dit Édouard. Puis, au bout d'un instant : — Et vous ?

— Moi, dit Bernard sauvagement, *je le tuerais*. » (La variante est à peine sensible : c'est Édouard-Gide qui, dans la réalité, a pensé ou dit cette phrase.)

Puis ce sont ces précisions : « C'est Olivier qu'aimait Édouard. Avec quel soin celui-ci ne l'eût-il pas mûri ? Avec quel amoureux respect ne l'eût-il pas guidé, soutenu, porté jusqu'à lui-même ? *Passavant va l'abîmer, c'est sûr*. Rien n'est plus pernicieux pour lui que cet enveloppement sans scrupules. J'espérais d'Olivier qu'il aurait mieux su s'en défendre : mais il est de nature tendre et sensible à la flatterie... »

Et de Passavant-X... il dit : « Rien n'est à la fois plus néfaste et plus applaudi que les gens de son espèce. »

Le personnage de Laura n'est pas ainsi exactement décalqué, ou alors je n'en ai pas la clef; mais Gide formule à son propos les phrases mêmes que je lui entendis prononcer au sujet de sa femme. Ainsi : « Elle ne s'expliquait pas cette froideur de son amant, elle s'en faisait responsable, se disait qu'elle l'eût pu vaincre si plus belle ou si plus hardie : et, ne parvenant pas à le haïr, elle s'accusait elle-même, se dépréciait, se déniait toute valeur, et supprimait sa raison d'être, et ne se reconnaissait plus de vertu. »

Et cette autre note, n'évoque-t-elle pas aussi ce que Gide écrivait de Madeleine dans le carnet qu'il me confia ? : « A mesure qu'une âme s'enfonce dans la dévotion, elle perd le sens, le goût, le besoin, l'amour de la réalité... L'éblouissement de leur foi les aveugle sur le monde qui les entoure et sur eux-mêmes. Pour moi qui n'ai rien tant à cœur que d'y voir clair, *je reste ahuri devant l'épaisseur du mensonge où peut se complaire un dévot.* »

Sur Laura encore, ces lignes essentielles du journal d'Édouard où je crois entendre Gide lui-même me parler des rapports qu'il eut avec sa femme : « Laura ne semble pas se douter de sa puissance; pour moi qui pénètre dans le secret de mon cœur, je sais bien que jusqu'à ce jour *je n'ai pas écrit une ligne qu'elle n'ait indirectement inspirée... Toute l'habileté de mon discours, je ne la dois qu'au désir constant de l'instruire, de la convaincre, de la séduire. Je ne vois rien, je n'entends rien, sans penser aussitôt : qu'en dirait-elle ?* Si elle n'était pas là pour me préciser, ma propre personnalité s'éperdrait en contours trop vagues; je ne me ressemble et ne me définis qu'autour d'elle... Involontairement, inconsciemment, chacun des deux êtres qui s'aiment se façonne selon l'exigence de l'autre, travaille à ressembler à cette idole qu'il contemple dans le cœur de l'autre. Quiconque aime vraiment renonce à la sincérité.

« C'est ainsi qu'elle m'a donné le change. Sa pensée

accompagnait partout la mienne. *J'admirais son goût, sa curiosité, sa culture et je ne savais pas que ce n'était que par amour pour moi qu'elle s'intéressait si passionnément à tout ce dont elle me voyait épris.* Car elle ne savait rien découvrir. Chacune de ses admirations, je le comprends aujourd'hui, n'était pour elle qu'un lit de repos où allonger sa pensée contre la mienne ; rien ne répondait en ceci à l'exigence de sa nature. « Je ne m'ornais et ne me parais que pour toi », dira-t-elle... Mais de tout cela qu'elle ajoutait à elle pour moi, rien ne restera... Un jour vient où l'être vrai reparaît, que le temps déshabille de tous ses vêtements d'emprunt... » Ceci correspond bien à l'idée que Gide, déçu, se fit à une certaine époque de sa femme. Depuis, on s'en souvient, et dans son *Journal* même, il nuança son jugement.

Je note encore ce trait pris à son propre caractère : « Une singulière incapacité de jauger son crédit dans le cœur et l'esprit d'autrui. » J'ai déjà cité un passage analogue de *Si le Grain ne meurt.*

Lundi, 26 juin 1939.

Bonnes conversations avec mon père. Je lui parle de Barrès : « L'ennui m'empêche d'aller plus loin que la dixième page, à chacune de mes nouvelles tentatives. Gide me disait l'autre soir chez André Dubois — et cela m'étonna car je croyais qu'il aimait Barrès, je crois même me souvenir qu'il m'avait dit l'aimer — que mon sentiment ne le surprenait pas. Et il en marqua même un certain contentement... » A quoi mon père répond : « Une des clefs de Gide, c'est l'Anti-Barrès. Sa principale raison d'être fut longtemps de s'opposer à lui. Ainsi son « Familles, je vous hais ». Pour ce qui est de Barrès, je lui garde une immense reconnaissance. Il fut vraiment un Maître...

C. M. — Je le crois facilement. Sans doute une œuvre comme celle-ci ne se peut-elle détacher de l'atmosphère de son temps. Chaque page de Barrès répondait pour vous à une préoccupation actuelle, alors que ma génération n'y trouve rien qui l'attache...

F. M. — Sans doute. Mais il faut comprendre ceci : tu as eu une jeunesse gâtée. Plongé dans un milieu passionnant, choyé, fêté... Tandis que moi j'étouffais dans une ville de province où mon orgueil, qui était immense — était sans cesse blessé, où je ne trouvais personne qui me ressemblât. Je voyais L... qui était une sorte de monstre; je me croyais moi-même un monstre. Comme je souffrais... Tristesse de penser qu'à cet âge adorable... » Son visage se crispe; il murmure : « Tiens, je préfère ne pas y penser. Tant de bêtise me fait mal. Et comme c'en est à jamais fini ! »... (Je songe à ce qu'il me disait l'autre jour à propos du roman de Bruno Gay-Lussac : « Il y peint un jeune homme tourmenté, malheureux, maniaque, malade... Et ce jeune homme, il s'y est visiblement mis tout entier — ou il a cru s'y mettre, ce qui est pire. Quel mystère ! Il est resplendissant de jeunesse, de beauté. Par ignorance, il laisse tout se perdre de tant de merveilles... ») Mais il revient à son sujet : « Vint Barrès. Imagines-tu ce qu'il m'apportait ? Une raison

d'être. Une attitude devant la vie. J'avais dix-
huit ans. Je voulais tenir mon existence en respect,
lui imposer un ordre. Barrès m'offrait toute une
éthique... Tiens, ce titre lui-même me ravissait,
ce titre me sauvait du mépris où je tenais ce qui
m'entourait : *Sous l'œil des Barbares*... Je te montre-
rais, si l'œuvre était ici, les quelques pages capitales.
Celles que je savais par cœur... »

Puis nous parlons de Jacques Rivière. Mon père
me dit qu'il était d'abord dédaigné par lui : pour ce
garçon pauvre, il représentait le pire, un jeune bourgeois comblé : « Mais nous nous sommes rattrapés
les dernières années. Nous nous voyions sans cesse.
Du dernier livre qu'il ait pu lire de moi, *Le Désert de
l'Amour*, il m'a dit, rue de la Pompe, devant Drieu
la Rochelle, et quelques jours avant sa mort (il était
déjà malade) : « C'était le roman que j'eusse voulu
écrire ! » Il eût été *le* critique de sa génération.
Intelligent à l'excès, et surtout enthousiaste. Il
faut croire à ce dont on parle. Or rien n'existait à ses
yeux d'une façon plus précise, plus importante que
la littérature. Une œuvre, cela comptait pour lui; il
la prenait au sérieux. La moindre page, la moindre
ligne lui semblait répondre à une préoccupation
essentielle. Quelle différence avec les critiques, les
romanciers blasés d'aujourd'hui et qui écrivent
parce qu'il faut écrire ! Rivière était en outre le
témoin de sa génération. Il enregistrait, il classait.
Rien ne passait pour lui inaperçu... Je l'aimais beaucoup, même son visage, que ta mère, par exemple,
trouvait laid : avec ces yeux très clairs, il était d'une
étrange beauté... »

Promenade à la fin de la journée. C'est une belle soirée d'été. Les jardins croulent de roses; les arbres de cerises. Un coucou attardé chante. Mon père loue la paix de la campagne, et sa beauté.

Après dîner, je commence à lire l'*Éducation sentimentale*. Beau. Mais quel désespoir en me couchant ! Je le dois au roman de Flaubert, bien que la cause en soit fort peu littéraire : l'évocation des belles amours de 1840 et dont il ne reste rien me met de la tristesse au cœur. Je songe à ces mondes à jamais endormis : la cour de François Ier, celle de Louis-Philippe, toutes les jeunesses de tout temps à jamais. Je songe au silence immense qui s'est fait sur ces foules passionnées. Tant de joie, tant d'amour, tant de douleur pour aboutir à cet oubli, et qui menace pareillement ma douleur, mon amour, ma joie. Lassitude. Impression d'*à quoi bon*. Le néant de toute vie, cette banalité ressassée, je sais soudain ce que cela veut dire. Je me couche tristement, me regardant faire ces pauvres gestes. Quelle étrangeté ! Je ne me reconnais pas. Cet inconnu ne m'intéresse plus. Il doit mourir avant d'avoir rien fait... Cet inconnu qui est moi-même dont l'inconscience et la fatuité soudain me stupéfient. Demain, Gide.

Mardi, 27 juin 1939.

LETTRE contournée de notre Gide si compliqué qui fixe son arrivée à Bordeaux pour tel train, puis télégraphie un nouvel horaire. Dans son mot, il disait — avec des points de suspension qui sont bien de lui : « Vous recevez cette lettre assez tôt pour couper mon élan par dépêche, si quelque catastrophique empêchement... Ce projet me paraît si beau que je n'y croirai tout à fait que lorsque je serai près de vous. »

Dans la chambre lavée à grande eau nous avons mis des roses. Je me suis occupé du papier à lettre, de l'encre, des livres : Balzac et Simenon. Puis, très en avance, nous sommes partis, mon père et moi, pour Bordeaux. Entre nous, sourires complices, mots d'esprit, imitations sans méchanceté, gros étonnement, en somme, chez l'un et chez l'autre que vraiment André Gide vienne à Malagar, que cette aventure dont nous parlons depuis si longtemps se réalise enfin.

Il apparut dans un vêtement sombre, sa silhouette bien connue surmontée de l'habituel chapeau à large bord. Le visage à peine tiré, à peine sali par le voyage, mais très pâle. Il est monté derrière avec mon père. Je suis devant. Une soirée radieuse transfigure la route. Je les entends causer de l'article que Claudel vient de publier dans *Le Figaro littéraire* à propos de Maritain. Il y parle de la nécessité pour le chrétien de se borner à faire « son devoir d'état » sans entreprendre de vaines et gênantes révolutions ». (...) Mon père raconte à Gide qu'il sait par le R. P. Maydieu que Maritain a été très peiné; il ajoute que lui, Mauriac, doit trop à Paul Claudel, lumière de sa jeunesse, qu'il a trop de choses dans le cœur pour lui dire ce qu'il a sur le cœur. Mais il s'étonne que personne ne prenne la défense de cette petite phrase, si belle et vraie de Maritain : *Tant que les*

sociétés modernes sécréteront la misère comme un produit
normal de leur fonctionnement, il n'y aura pas de repos pour
un chrétien. Gide rappelle cette remarque de Rougemont qui l'a beaucoup frappé, à savoir que seuls
les pays touchés par le christianisme ont été capables
de révolution. Mon père évoque Mounier. Il dit
que les vrais révolutionnaires ne peuvent combattre
que pour un ordre chrétien. (...)

Nous le conduisîmes à la terrasse dès notre arrivée à Malagar. Le soleil disparaissait, noyant « la
vue » d'une première ombre où palpitaient encore
des flaques de lumière. Nous dînâmes. Puis ce fut
sur la terrasse, par un clair de lune adorable une
paisible conversation. J'admirais Gide et mon père
de savoir tant de vers et de savoir les mêmes. Ils les
récitaient à mi-voix, l'un après l'autre, l'un avec
l'autre. Mon père tenta une réhabilitation de l'indéfendable Sully Prudhomme :

— Il est indéfendable, mais c'était tout de même
un poète...

Gide finit par en convenir. Il cite lui-même, à la
suite de mon père, quelques beaux vers et qu'il
trouve tels. Il a son chapeau et sa cape. Il fait une
nuit très douce, à peine fraîche, que les grenouilles
et les grillons occupent de leurs chants.

— Vous n'avez pas froid ?

— Non, j'ai ma pèlerine...

— Faites attention de ne pas prendre mal...

— Oui, je sais... Je suis très délicat des bronches...

Je regarde nos trois ombres immobiles sur le gra-
vier. La mienne qui ressemble à celle d'une statue
égyptienne, car je suis assis en chien de fusil sur le

parapet de la terrasse, et de profil. Celle de mon père informe. Puis cette masse tassée, l'ombre de Gide. De Gide qui dit : « Je suis très délicat des bronches. » Et je pense avec étonnement que c'est le même homme, que ce sont les mêmes bronches délicates que celui, que celles de Biskra, lors d'un si ancien voyage, connu de tous aujourd'hui où André Gide, malade, ne pouvait s'abandonner à la vie, à sa vie...

Une drôle de vie. Mais j'évoque les si justes paroles de mon oncle l'abbé, avant-hier : « Gide a pu rendre publics les pires secrets de sa vie sexuelle, il demeure qu'il est considéré par tous et à juste titre, comme un moraliste. La position de sincérité qu'il a prise, ce courage qu'il montra en certaines occasions (l'affaire de l'U. R. S. S., notamment) lui ont donné un immense prestige, et qu'il mérite, je le répète. » Quelle importance, quelle grandeur André Gide a en effet à mes yeux. « Le miracle, c'est qu'il a aussi eu pour les garçons de ma génération ce pouvoir fascinateur », disait mon père.

Nous avons reparlé de l'affaire Maritain. Comme Gide déteste Claudel ! Il dit, sans rire, que Claudel c'est exactement M. Couture, moins la lubricité. Il revient sans cesse à cette autre idée qui semble le combler d'aise : « Il y a tout un parti chrétien qui se dresse contre vous, Mauriac : les Massis, les Claudel et qui s'apprête à vous traiter d'hérétique, à cause justement de ce qu'il y a en vous de charité, de noblesse. » Mon père répond que c'est déjà fait. On a créé à son usage une hérésie, *le surnaturalisme*, mais on lui a fait dire d'autre part que toute manœuvre se heurterait à « l'amitié personnelle que lui voue le pape ». « Amitié que vous partagez avec Franco », dis-je. Puis, m'adressant à Gide :

— Pourquoi, Monsieur, n'écririez-vous pas cet article ? Le prestige qui entoure le nom de Claudel, l'amitié et la reconnaissance qu'on lui voue empêchent beaucoup, dont mon père, d'intervenir. Mais vous, rien ne vous arrête...

— J'y ai pensé. Mais j'ai peur de... compromettre Maritain.

Son visage est tout à la fois illuminé d'orgueil et d'humilité. Une ironie triomphante déforme ses traits et leur donne une apparence légèrement comique, très sympathique et un petit peu, un tout petit peu démoniaque. Il continue :

— Voilà ! On dira : Naturellement ! C'est Gide qui défend Maritain. Gide ! Le contraire m'eût étonné. Pauvre Maritain, etc... De même vous serez compromis pour m'avoir reçu ici. Mais si ! C'est François Mauriac, ce n'est pas un autre qui pouvait recevoir André Gide chez lui !

Je retrouve là ce côté de Gide, si douloureux, du Gide qu'ont blessé tant d'affronts, tant d'injures, tant d'incompréhension. Il en a gardé cette humilité, cette méfiance, et ce regard reconnaissant, comblé, stupéfait de vieux chien qui a reçu une caresse alors qu'il attendait un coup.

La nuit était si douce que nous nous sommes un peu attardés. Gide a raconté que l'Académie royale d'Angleterre, où il avait succédé à Anatole France, le raya de ses membres (fait sans précédent) au moment de son adhésion au communisme. Et elle voudrait lui offrir aujourd'hui la compensation d'un banquet d'honneur ! Il a aussi rappelé l'amusante histoire suivante. Alors que la *Nouvelle Revue Française* vient de reparaître, Gide voit dans le train où il a pris place une vieille dame tirer de sa valise ce numéro, précisément, et le lire. Très ému, il lui dit : « Excusez-moi, Madame. Mais je vois que vous avez entre les mains une revue qui m'est chère... Je crois même que vous me lisez... » Alors, balbutiante de joie, bouleversée, l'inconnue se lève et, si émue qu'elle semble sur le point de s'agenouiller, elle s'écrie : « Vous ! Vous ! Quel bonheur ! Vous ! Ah ! M. Duhamel... »

Mercredi, 28 juin 1939.

Courses à Langon, seul avec Gide. Il s'intéresse à tout, découvrant dans cette morne ville cent passionnants détails. Quelle curiosité merveilleuse ! Il veut tout voir, même ce qui est laid. Rien ne lui échappe. La rue Maubec l'enchante dont les vitrines offrent d'affreux objets d'art. Il s'étonne de cette recherche de la beauté et qui s'égare ainsi.

Dans un magasin qui embaumait le café grillé, Gide aperçut un jeune Annamite. Il me le fit remarquer et m'accabla de questions : comment se faisait-il qu'il y eût un Annamite ici; d'où venait-il; que faisait-il, etc. ? Quelques minutes plus tard, le garçon nous dépassa et entra dans une boutique. Gide s'arrêta, regarda, reprit sa marche, tourna la tête de nouveau, s'éloignant avec regret. Puis il dit :

— Quel dommage ! J'aurais été à l'étranger, je

l'aurais abordé. Il n'aurait pas trouvé étonnant que je l'interroge. Tandis qu'en France, parlant français à un Français... A Cuverville, je ne sors jamais en ville car chacun m'y connaît et cela m'est odieux. Mais *même ici* je n'oserais pas aborder ce jeune Annamite et l'emmener dans un bar, comme cela eût été si facile en Orient...

Je ne dis rien, mais je pense que Gide ne risque pas d'être identifié. Hier, au retour de Bordeaux, nous nous arrêtâmes à la gare de Langon pour prendre sa malle. J'observai cet homme vêtu de noir, et qui parlait à mon père. Les voyageurs passaient, indifférents, devant ce qu'ils devaient prendre pour un notaire ou un juge de paix. Et j'en étais un peu peiné.

De nouveau ce journal va manger tout mon temps. Je le regrette, car j'ai très envie maintenant d'écrire « mon » Cocteau. Je donne ma matinée à mon journal, pour être libre l'après-midi de travailler. Mais, entre temps, il y a eu le déjeuner, où Gide et mon père touchèrent aux plus graves problèmes — et tout est à recommencer. *La Vérité du Mensonge* attendra. *Vérité du Mensonge* ? L'autre soir, chez André Dubois, Gide m'avait parlé de mon premier titre qu'il connaissait (par qui ?) : *Précisions sur l'Enfer.* Il m'a redit, hier soir, combien il le trouvait beau, et comme je lui expliquais que je le gardais pour une autre occasion, Jean Cocteau m'étant apparu, à l'examen, indigne de l'Enfer, je veux dire : initié à aucune forme du surnaturel, fût-ce à celle-là, Gide s'écria :

— Mais justement ! Montrez comment et pour-

quoi il est hors de l'Enfer. Et qu'apportera cette
démonstration, sinon des précisions sur l'Enfer ? (...)

Mon insuffisance me frappe, lorsque j'écoute
Gide et mon père bavarder. Je me sens fin et subtil
dans mon domaine, mais qui m'apparaît borné.
Très vite je perds pied. Je souffre alors de me montrer indigne de ma chance : être entre André Gide et
François Mauriac. Mais j'ai assez d'intelligence dans
mon inintelligence pour mesurer exactement ce
qui me manque. Je connais le point exact où je
m'arrête. Il n'y a plus devant moi que des ténèbres où
je vois Gide et mon père s'enfoncer avec l'assurance
de merveilleux oiseaux de nuit. Et si, dans ce brouil-
lard, je me reconnais difficilement, je puis imaginer
ce que je ne vois pas. Je sens même qu'avec un peu
moins de paresse, un peu plus de confiance, je pourrais recréer ce qui ne m'est pas offert, c'est-à-dire
conquérir, avec difficulté mais victorieusement le
domaine qui m'était d'abord interdit. Ainsi me
serait-il possible d'atteindre, à force de persévérance,
ce qui est naturellement donné à des intelligences
plus grandes.

Ces réflexions me sont venues lors du déjeuner,
et dans le salon, à l'heure du café, tandis que Gide
et mon père parlaient du christianisme. Je sentais
que sous l'apparence presque banale de leur conversation des vérités délicates et graves étaient par
l'un et par l'autre évoquées, et je pensais : « S'il y
avait Maritain, ici, ou Du Bos comme ces paroles
trouveraient du poids, tout à coup... »

Pour moi, que restait-il ? L'inquiétude dont Gide faisait montre à propos de l'étroitesse d'esprit décevante — ou de la décevante malignité de la plupart des chrétiens. L'acte de foi de mon père : ce ne sont pas les hommes qui comptent, ni ce qu'ils ont fait de la Révélation; ce n'est pas même l'Église qui est en cause dans la mesure où elle est aussi une institution soumise à toutes les dégénérescences du social. Importent seules la réalité du Christ, son existence. Les chrétiens sont particulièrement décevants parce qu'ils sont chargés d'une mission et que, presque tous, ils s'en montrent indignes. Pareils aux autres hommes, ils sont pires en ce sens que leur foi aurait dû les élever. Mais il ne faut pas juger Dieu sur les balbutiements de ses serviteurs. A l'occasion du *Flaubert* de Guillemin et de la Préface paternelle, Gide reposa le grave problème : n'y a-t-il pas de sainteté en dehors de la foi ? A quoi mon père répondit par cet exemple qui sembla beaucoup frapper notre hôte et le combler d'une assez précise satisfaction :

— Une femme très simple, mais qui touche vraiment à la sainteté, disait d'une de mes amies qui toujours était demeurée athée : « A son lit de mort l'idée la possédait, la soif, de se convertir. J'estime que c'eût été une faiblesse de sa part, une abdication, et que Dieu dut préférer son courage, sa force de caractère, sa droiture qui, jusqu'au dernier soupir, lui défendirent de céder à la tentation si douce de l'éternité. Qui n'a pas la foi ne doit pas obéir à sa peur et croire, ou faire semblant de croire, afin de trouver un secours. » Voilà ce que disait cette âme sainte. Tout est une question d'espèce. Il n'y a pour la Grâce que des cas individuels. Il existe en revanche des êtres qui, en se refusant, se trahissent et trahissent Dieu. Ceux-là commettent quelque chose de grave...

Gide a interrompu :

— Moi-même, qu'ai-je fait d'autre, toujours, que de me refuser...

— Par manque de foi ou, au contraire, par crainte de céder à sa foi et à ce qu'elle exige, comme le fit Green — du moins en apparence, car, naturellement, je ne puis juger que de l'extérieur ?

Et Gide a répondu :

— Pour l'une et l'autre raison.

Il y eut un silence, puis il a dit :

— Oui, il n'est que des cas individuels... De plus en plus je me refuse à juger les autres.

— Vous avez raison, conclut mon père, on ne sait jamais, on ne connaît pas les voies de Dieu.

(...) Ce matin, à table, je parlais d'un rêve que j'ai fait cette nuit et regardais Gide, alors, avec une sorte de vertige : sa femme, à lui, était morte déjà; et déjà il avait soixante-dix ans, malgré la jeunesse de son visage et de son corps. (Ne l'avais-je pas surpris, le matin, sur le sol du vestibule, en train de faire des exercices de gymnastique, et cela avec l'aisance d'un jeune homme ? C'est à peine s'il avait paru essoufflé en se relevant.) Tout était derrière lui et tout devant moi : cela me surprenait et me choquait, tant j'avais l'habitude de me trouver sur le même plan exactement que lui, au même point exactement vis-à-vis de l'existence et de Dieu. (...)

Il y eut « quartier libre » l'après-midi. Gide a fait la sieste; j'ai écrit mon journal; mon père a travaillé de son côté. A cinq heures nous nous sommes retrouvés : bien que cela ne soit point dans nos habitudes, nous avons compris qu'un peu de thé, de pain grillé et de confiture ne déplairait pas à notre hôte qui paraît fort gourmand. (Les repas sont du reste bons et copieux.) Nous sommes ensuite partis en voiture : Bazas et son air quasi oriental (ces petites rues sombres, ces maisons calcinées ressemblent à toutes celles du bassin méditerranéen, fût-ce les plus lointaines). Uzets... La curiosité de Gide, son immense bonne volonté lorsqu'il s'agit de voir et de comprendre trouvent à s'employer. C'est une belle soirée. Je conduis lentement pour qu'il profite de la lumière sur le tronc fauve des pins, sur les petits bœufs du Bazadais. Et dans le rétroviseur j'aperçois ce glabre visage, rongé ou plutôt poli, usé, atténué.

Après dîner, dans la cour où la lune peu à peu s'étale. Par la fenêtre du salon, arrive une musique noble, émouvante et qui pourrait être du Bach. Le calme de la nuit proche lui donne tout son sens. Dans le jour finissant Gide bondit comme un gosse et avec la même légèreté parce qu'il a aperçu un « cerf-volant ». Cet insecte n'existe pas dans ses contrées, comme il aurait été heureux d'en posséder un alors qu'il collectionnait les coléoptères, etc. La nuit est tout à fait tombée, mais la lune l'anime. Avec une sorte d'entêtement, Gide revient sur les questions religieuses. Il y ramène sans cesse la conversation et à tout propos. Il est du reste sur la défensive et comme buté. Il semble toujours soupçonner mon père d'intransigeance et de machiavélisme. En fait, n'est-ce pas lui qui se montre obsédé, lui qui apparaît... oui, il faut oser ce mot si peu gidien : sectaire ? Mais s'il l'est occasionnellement c'est par instinct, peut-être même parce qu'il se sent trop près de la foi, presque complice, pour ne pas se défendre farouchement. Mon père, lui, parce qu'il est détaché — sa foi étant solidement établie — se révèle beaucoup plus compréhensif, et la largeur de ses vues étonne Gide, dérange ses plans, le gêne :

— Mais mon cher ami, s'écrie mon père, la religion catholique n'a jamais considéré que ceux qui ne sont pas dans son sein et qui appartiennent à une autre croyance soient perdus ! Au contraire. On peut n'être pas dans le corps de l'Église tout en participant à son âme, comme on peut faire partie de son corps sans approcher de son âme.

— Vous me faites plaisir, trop plaisir, dit Gide, débusqué et qui adopte une autre tactique. Et il ajoute à son habitude : Si... si...

— Halte-là, cher ami ! Vous n'êtes pas Mahométan, vous ! Vous êtes des nôtres, vous êtes une brebis rétive...

— Oui, oui, murmure Gide, en ponctuant le silence de ses coutumières aspirations nasales.

Un chant de Mozart s'élève dans la nuit. Mon

père dit que rien n'est plus proche du surnaturel que Mozart. Que l'existence d'une telle musique rend inconcevable une conception matérialiste du monde. Et Gide d'en appeler aussitôt à la vie si peu chrétienne du musicien. C'est à peine s'il reconnaît l'existence, dans Mozart, de plaintes déchirantes. Je suis un peu déçu. Me rassure maintenant l'idée qu'il n'est si susceptible vis-à-vis de ces choses que pour en être trop tourmenté. « Il a peur, me dira mon père. Il n'est pas rassuré. Son athéisme lui paraît inconfortable. Il se doute de quelque chose. Il se dit : Je suis André Gide, tout de même, quelle responsabilité ! Et il a peur... »

Pour finir, Gide et mon père ont longuement évoqué Francis Jammes. Tout leur était prétexte à citations, et leurs mémoires fidèles, leurs âmes reconnaissantes s'en donnèrent à cœur joie. Le charme de ces simples vers m'émouvait, qu'ils soient murmurés par la voix extasiée et tendre de mon père, ou martelés, façonnés, détachés par un Gide inspiré.

Il se leva brusquement et nous quitta « pour aller méditer un peu avant de dormir ». Il était encore relativement tôt (10 h. 30). Je le soupçonne de s'être déterminé à cette retraite brusquée par excessive discrétion. Ou bien est-il allé prendre quelques notes de journal : « Mauriac veut coûte que coûte faire des chrétiens avec les Grecs, etc... »

Jeudi, 29 juin 1939.

Henri Guillemin passe la journée. Très ému par la présence de Gide, il n'ouvre pas la bouche, ou presque, de toute la journée. A table, seuls parlent Gide et mon père. Conversation fort intime. (...) Et comme, à la fin, je donne en deux mots mon avis, mon père s'écrie :

— Mon Dieu ! Tu es là, toi ! j'avais oublié ta présence.

Il a l'air un peu gêné. C'est pourtant avec un sourire qu'il dit :

— A cette époque, tu étais encore dans l'empire innommé du possible, comme disait notre ami Sully Prudhomme.

— Décidément, vous allez me raccommoder avec lui, s'écrie Gide en riant. C'est du Sully Prudhomme, vraiment ? Mais c'est assez beau ! (...)

De 3 h. à 5 h. 1/2, mon père lit *Les Mal-Aimés*. Gide laisse échapper des monosyllabes, des soupirs, des interjections stupéfaites ou admiratives. Après le premier acte, il murmure : « On est *très* pris. » Après le second : « C'est *eff*royable, d'une force, d'une *cru*auté, d'un *retors*... Tandis que se déroule le troisième acte, que mon père lit avec passion, je regarde le visage de Gide, attentif, fasciné, tellement troublé qu'on sent les larmes proches. Il souffle bruyamment. Cependant, dehors, la charrette passe, débordante de foin. Henri Guillemin, assis sur le bout de sa chaise, immobile, le regard fixe, tient un mégot éteint à quelque distance de ses lèvres. Tout à coup, ses doigts se glissent sous les lunettes et essuient une larme. C'est fini. Guillemin éclaterait en sanglots s'il ouvrait seulement les lèvres. Gide ne peut que lancer de brèves phrases admiratives. Il ne peut que serrer avec force les mains de mon père, en murmurant : « C'est bouleversant, si, si... Je suis très ému... » Mon père contemple avec joie son œuvre. Peu à peu, autour du thé, chacun se calme. Gide ne formule aucune critique. Il se déclare pleinement satisfait : « C'est parfait, il n'y a rien à reprendre... Mais les limites du tolérable sont presque dépassées... Si, si ! »

Dès le départ de Guillemin, nous avons pris l'auto. Après avoir visité la charmante petite église de Saint-Léger, Gide, initié au parc de Saint-Symphorien en subit le charme. Des touffeurs orageuses n'empêchent pas une sorte de mystère qui plane entre les pins, au ras des hautes fougères. « Atmosphère accablante, dit Gide, mais combien prenante ! » « Oui, répond mon père, je crois que c'est ici que j'ai tout appris. Mon œuvre a été telle parce que tel est ce pays étouffant aux si merveilleuses odeurs... » Et de raconter à Gide son enfance : « Voici *le gros chêne* que nous entourions d'un si grand culte que nous l'embrassions au moment de le quitter, à la fin des vacances, mes frères et moi... Voici La Hure où nous faisions voguer ce que nous appelions des *bateaux-phares* : une allumette sur un morceau d'écorce... » Mes propres souvenirs montent en foule (ces merveilleux mois de septembre !...). Mais je les tais : il n'y a que mon père qui ait le droit, ici, d'avoir des souvenirs...

Après le dîner, dans la cour, à l'abri du tilleul parce qu'il pleut un peu, mon père lit des passages magnifiques, mais involontairement drôles du *Journal* de Du Bos. (Comme cela est vrai : il suffit d'un regard ironique pour trahir les plus belles choses. Mais combien Du Bos est vulnérable à ce point de vue !) Rire frais de Gide. Un rire de jeune homme. Un rire pur. Il me semble que je le vois pour la première fois tel qu'il est; que pour la première fois il ne s'observe pas, ni ne se contraint.

Puis c'est au salon une conversation où Gide raconte cent choses intéressantes à propos des premiers numéros de la *Nouvelle Revue Française* d'après la guerre (que j'ai été chercher), de sa correspondance avec Martin du Gard, etc. Avec une conscience admirable il écoute à Radio-Paris une émission prise à l'essai et dont il est juge en tant que membre du Conseil national de la Radio : une jolie voix cite une pensée d'Edgar Quinet et c'est tout !

C'est enfin entre mon père et Gide une curieuse conversation sur Musset. Au nom de son ancienne adoration pour lui, mon père entreprend de faire son éloge. Il le défend si bien, à force de citations, que Gide peu à peu se laisse fléchir. Il récite, lui aussi. C'est un concert à deux voix. Ils conviennent l'un et l'autre que, malgré les faiblesses, c'est là de la véritable poésie et qui était digne de l'amour qu'ils lui avaient autrefois porté. Gide dit :

— Qu'en pense Claude ?

Et mon père de répondre avec une gentille ironie :

— Mais rien, voyons : ce sont des barbares !

Et tandis que des citations naissent l'une de l'autre, d'une mémoire à l'autre jaillissantes, j'ai un peu honte de moi.

Vendredi, 30 juin 1939.

Gide paraît à 9 h. 30, vêtu de l'incroyable costume lie-de-vin qu'il fit couper dans une étoffe dont on lui fit cadeau lors de son voyage en U. R. S. S. Il ne se décida du reste pas à nous le montrer sans une certaine timidité. Nous sommes seuls tous les deux, mon père n'étant pas encore descendu. Ce sont d'abord quelques mots indifférents. Mais voici soudain qu'il me parle la tête détournée, le corps en biais — et je reconnais l'attitude des minutes d'abandon, de confiance, de confidence :

— Si vous saviez, Claude, comme je me dégoûte parfois... Il y a en moi un besoin de sympathie, d'amitié qui me conduit aux limites de l'hypocrisie... Oui, le mot n'est pas trop fort, ni celui de perfidie.

Un silence, puis :

— Comme tout cela est difficile à dire !

Silence. Je dis n'importe quoi pour lui donner courage. Alors il murmure :

— Voulez-vous un exemple de cette inadmissible faiblesse ? La façon dont je me suis rendu, hier soir, aux arguments de votre père, à propos de Musset. Par besoin d'abonder dans son sens, par soif d'accord. Comme je me suis reproché ma lâcheté lorsque je fus seul dans mon lit !

Mais Musset, Monsieur, ce n'est pas très important; cela n'engage à rien d'essentiel que de reconnaître à tort ou à raison en Musset un vrai poète.

— Évidemment. Mais cet exemple est un parmi d'autres beaucoup plus graves. Vous me parlez de ma célébrité, de ma grandeur. Mais moi je me connais par les petits côtés. Je me juge. Et avec une cruauté qui parfois me laisse désespéré. Je ne m'accorde plus rien. Tout en moi me paraît condamnable. Je me fais l'impression d'avoir menti. Il m'arrive souvent de dire n'importe quoi, de dire des bêtises pour essayer d'échapper à moi-même...

— Je dois avouer que vous m'avez étonné, hier, en assurant que l'Espagne ne connaissait pas, dans son art, la beauté.

— C'est seulement que je sus mal m'expliquer, ou plutôt que je n'osai pas. J'ai écrit sur ce point des pages où j'ai parfaitement explicité mon opinion : l'Espagne ne connaît pas la beauté pour cette raison qu'Hélène n'y a pas abordé. Mais je souffre d'être à ce point vidé que je ne puis plus que me citer si je veux m'exprimer. C'est affreux d'en être réduit là : tout avoir connu et dit déjà de ce que l'on pouvait dire et connaître. Y a-t-il pire bêtise, pire ridicule que de se citer soi-même ? Alors, pour l'éviter, il m'arrive de dire n'importe quoi...

— Ce qui m'étonne, dans les conversations que vous et mon père avez au sujet de la religion, c'est comme vous attachez de l'importance aux petites choses. Je vous le dirai tout net : l'essentiel est pour moi de savoir si oui ou non Dieu existe, si oui ou non l'âme est immortelle. Quelle que soit la réponse, le reste m'est égal. Rien ne me paraît moins important qu'un dogme et qu'il puisse y avoir des guerres de religion me stupéfie. Le tout est de croire — ou de ne pas croire...

— Je suis d'accord, s'écrie Gide, et je sais bien quelle est ma réponse : *je ne crois pas ; je sais qu'il n'y a aucune raison de croire ; c'est pour moi une certitude !*

Cela fut dit avec fougue et sur le ton claironnant d'une profession de foi.

— Mais alors, quelle angoisse !

— Trouvez-vous ? Je vous jure que je n'éprouve maintenant qu'un minimum d'angoisse. Le modèle, pour moi, reste Gœthe.

— Mais Gœthe, le soir, dans son lit, était peut-être dévoré d'anxiété. Que subsistait-il alors de sa paix ? Et vous-même, Monsieur, et moi-même... J'ai lu de bien déchirantes pages de Valéry à ce sujet : la certitude du néant, chez lui...

— Hélas ! Combien j'ai dû d'heures de découragement, de désespoir à la fréquentation de Valéry... A votre âge, j'étais encore très religieux, vous savez. Il m'en reste quelque chose. Le négativisme de Valéry me consternait, me consterne encore...

A ce moment, mon père est entré. Nous avons parlé du billet sur Claudel que *Temps Présent* venait d'apporter. Puis nous sommes partis en promenade. La tombe de Toulouse-Lautrec, la basilique de Verdelais, le camp des réfugiés : une cinquantaine de gosses sont réunis dans la grange où un jeune homme leur fait la classe. Un ancien professeur de droit au charmant visage. Gide est intéressé. Mais bientôt il sera ému. Nous regardons avec un certain effroi ces enfants, pour la plupart si beaux, filles et garçons. Nous pensons aux drames qu'ils ont vécus avant d'échouer dans ce village d'exil. L'instituteur, sa femme et deux autres jeunes ménages de professeurs et d'infirmières nous reçoivent. Comme ils ont l'air franc, droit, merveilleux ! Devant Gide bouleversé, devant mon père, devant le sous-préfet de Langon attiré par l'importance de la visite, ils parlent avec simplicité de leur misère passée, de la vie routinière d'aujourd'hui, de leur espoir de départ : Saint-Domingue les attend et, là-bas, une existence paisible :

— Il est temps de refaire sa vie... Nous sommes fatigués, vous savez, si fatigués...

Ils donnent des détails sur la guerre, la déroute, la misère actuelle de l'Espagne. Ils connaissent le nom de Gide, celui de François Mauriac : « Nous sommes de vos amis, vous savez... Nous aimons les Espagnols... Pas tous, bien sûr... » dit mon père. Il donne 200 francs pour les enfants. Gide en fait autant.

Au retour, nous nous arrêtons chez la vieille Suzanne. Nous l'avons connue heureuse, mais son mari est mort; elle s'exténue à servir les enfants qu'elle a pris en garde. Elle n'en peut plus. Détresse de ces larmes. Mon père essaye de la consoler. Gide détourne la tête. Les deux gosses, affreux et charmants, avec leur regard chafouin, prennent un air très digne.

Après déjeuner, Gide, accoudé à la cheminée du salon, se retourne et dit avec un drôle de sourire des *Mal-Aimés* :

— Ah ! le Diable, il faut le dire, y a sa part. Il gagne beaucoup dans l'aventure, c'est indéniable !

Mon père rit. Il me dira plus tard que dans son costume bordeaux autour duquel flottait sa cape grise à larges manches, notre hôte avait alors l'air plus Gide que nature.

— Et votre pièce à vous, cher Gide ?

— Ah ! ne me rappelez pas ma promesse de vous la lire. Elle est trop mauvaise... Je suis hors du coup maintenant.

— Voyons, s'écrie mon père, vous savez bien que vous menez toujours le jeu, au contraire !

Il se laissa facilement convaincre. Promesse fut faite d'une lecture pour le soir même. Après une intéressante conversation sur Oscar Wilde et lord Douglas (je n'ai pas le temps d'en parler), il nous quitta. C'était l'heure de sa sieste quotidienne.

(« Je n'ai pas le temps... » Je pense bien ! Jean Davray, ce matin, m'écrit : « Les colloques Mauriac-Gide doivent être étranges. Mais à faire Eckermann, il ne doit guère te rester de temps pour Cocteau... » Cocteau, ce ne serait rien encore. Mais je ne dispose plus d'une minute pour lire, écrire et même vivre en dehors des heures passées près de Gide. Je dois manger sur mes nuits pour écrire ce journal.)

Gide m'a demandé plusieurs fois que je lui lise mes notes sur Cocteau. Mais elles ne sont pas au point. Je lui ai remis en compensation mon manuscrit d'*En deçà de l'Honneur* (1). Il a eu l'air touché.

L'Intérêt général. La pièce... Sa pièce... Qu'en dire ? La lecture eut lieu au cabinet de travail. Pré-

(1) Je n'ai jamais publié ce pamphlet.

parée, interrompue, sans cesse commentée par l'auteur : « Ce n'est pas au point du tout... J'ai honte de vous lire cela... La question sociale fausse tout... Heureusement mes livres me sauvent dans l'opinion que vous avez de moi... Que c'est plat... Je suis *cons*terné... » Malgré son admirable voix, si émouvante, tel est son embarras qu'il m'empêche de m'abandonner, d'autant plus que j'ai tout de suite vu mon père sévère, mécontent et que moi-même j'étais déçu. Gide, sentant s'épaissir cette atmosphère hostile, qu'il a tout le premier contribué à faire naître par ses commentaires réticents, ses explications, ses repentirs, Gide finit par ne plus oser *tout* lire. Il passe des scènes entières et même tout un acte.

— Vous n'êtes pas fatigué ?

— Hélas ! c'est pire que cela. Si c'était seulement de la fatigue que j'éprouvais...

Lorsque ce fut fini, une oppressante gêne nous accabla. Mon père sans essayer de sauver la face, et avec un minimum de forme, vraiment, expliqua à Gide, ce qui était vrai, que sa pièce présentait tous les défauts (il dit presque : tous les clichés) des pièces à thèse (il dit presque : des pires pièces à thèse) où le patron est ainsi immanquablement peint odieux devant des grévistes immanquablement angéliques. Comme Gide me fit pitié, alors et que, au même moment, j'admirai son courage ! Il fut pour sa pièce plus sévère que nous-mêmes. Mais une telle tristesse apparaissait sous sa feinte sérénité que j'en éprouvais de l'angoisse.

— Comme c'est terrible de vieillir, disait-il. Ce

que l'on fait est moins bon, beaucoup moins bon. On le sait, mais on ne peut s'empêcher d'écrire.

— Laissez votre pièce dormir quelque temps dans un tiroir, c'est le mieux, conseillait mon père.

— Mais, cher ami, j'ai soixante-dix ans !

Vagues protestations de mon père. Et cette précision, inconsciemment cruelle :

— J'ai dit : quelques mois. Quelques mois seulement qui vous permettront d'y retravailler ensuite avec un regard neuf.

— Mais non, mieux vaut renoncer... si, si... J'ai accumulé les lieux communs. Depuis cinq ans que je traîne cette pièce, il faut en finir ! Le caractère de Robert (le patron) est chargé à outrance; les autres à outrance nuancés : d'où un déséquilibre inadmissible. J'ai sauté les scènes essentielles par honte de vous les présenter. Je n'ai pas traité des parties capitales. Non, à quoi bon continuer !

Comme c'était pathétique de l'entendre poursuivre, malgré nos pauvres protestations auxquelles nous ne croyions pas nous-mêmes :

— Je n'ai plus rien à dire, vous savez. Depuis un an je donne le change. Mon *Journal* lui-même est terminé.

— Pourtant la vie continue...

— Oh ! vous savez, je fais semblant de vivre.

Le dîner dissipa un peu cette gêne épaisse. En sortant de table, mon père s'étant absenté deux minutes, je glissai à Gide, car je sentais qu'il fallait lui redonner courage :

— Vous savez, j'aurai à vous parler sérieusement de votre pièce. *Il ne faut pas* qu'un si grand effort soit abandonné. Il y a dans *L'Intérêt général*, de bons passages, et surtout un souffle, une ardeur qu'il importe que vous sauviez. L'échec vient de ce que le sujet ne s'accommode peut-être pas du cadre dramatique. S'il en est ainsi, vous recommencerez. Vous recommencerez jusqu'à ce que vous ayez trouvé la forme exigée par le témoignage que nous attendons de vous. Car il importe que vous vous exprimiez enfin sur le drame social. Il le faut. Nous y sommes tous intéressés.

Il eut un air reconnaissant dans un visage presque heureux :

— Vous me redonnez confiance. Mais il faudra que je vous parle aussi de votre manuscrit...

— Le même sujet que le vôtre, avec les mêmes défauts, car il fut écrit dans le même état passionnel...

Revient mon père. Nous cherchâmes Racine. Gide lut un passage de *Mithridate*, puis mon père de sublimes fragments d'*Andromaque*. Enfin des lettres de Racine et de Boileau où il n'était parlé que de bénéfices, d'argent, de services — et du Roi, en balbutiant de servilité. Des laquais, ils étaient traités, ils se conduisaient en laquais :

— Quelle horrible époque, m'écriai-je. Rien ne valait cela. Versailles ne valait pas cela. Le « Grand Siècle » ne rachète pas cela.

Mais mon père me démontre que notre époque est plus odieuse encore, sur laquelle plane la menace d'un massacre général. « Époque passionnante bien qu'odieuse, dit Gide. Je n'aurais pas voulu en connaître d'autre. » Je dis que j'ai envié, ce matin, ces jeunes ménages espagnols : ils avaient connu la pire détresse, bien sûr, mais ils étaient sauvés. Je murmurai :

— Moi aussi, je partirais bien pour Saint-Domingue. A l'abri, avec une femme, des livres...

Puis ce fut la séparation. Pour moi, le lit différé, hélas ! à cause de ce journal. Exténué, je n'en suis pas encore arrivé à bout.

« Parvenu au terme de sa vie, me dit mon père alors que Gide vient de nous quitter, il fait l'addition. Il voit ses fautes. Et plus moyen de rien changer au total immuable. Sa femme... La partie est jouée. C'est fini. Je le devine torturé par le remords. Et je l'aime, parce qu'il est probe, lucide, courageux... »

Mais il s'étonne qu'André Gide ait pu faire « une si exécrable pièce où revivent les pires banalités du théâtre Antoine ». Et surtout, que l'entraînement qui l'incita à la concevoir étant apaisé, il n'ait pas retrouvé son sens critique : « Dire que c'est Gide qui a écrit cela, Gide ! » Il nous l'avait avoué : « J'étais en pleine lune de miel avec le communisme lorsque j'ai composé cette pièce. » Jouvet l'avait acceptée. Les événements de juin 1936 en remirent la création. Depuis, il la remania totalement. Mais elle est, je crois, inarrangeable...

Je veux dire en terminant combien j'ai aimé aujourd'hui André Gide. Quelle humanité en lui ! Dans sa détresse, que de grandeur !

Samedi, 1ᵉʳ juillet 1939.

N'AVONS-NOUS pas été plus proches de Racine, hier soir, que tous ces Parisiens du monde qui le fêtaient au bal d'Étienne de Beaumont, où, à l'occasion de son tricentenaire, il fallait se déguiser ? Mes sœurs étaient parmi les demoiselles de Saint-Cyr. A propos, Luce écrit à mon père : « L'autre jour, chez les Gregh, nous avons vu Valéry qui m'a demandé d'un air coquin où était Claude. Je lui ai répondu : — A Malagar, avec mon père. Il a souri malicieusement et a ajouté : — « Et avec quelqu'un d'autre ! » Je crois qu'il aimerait bien être là-bas avec vous trois. »

J'ai à peine achevé ma toilette que Gide me fait venir dans sa chambre. Il est très affecté par des lettres de réfugiés aux abois qu'il vient de recevoir. *Toute la matinée* il s'astreindra à les traduire, à écrire à André Dubois à leur sujet, etc. Comme j'admire ce dévouement !

— Quel mystère, murmure-t-il... Je me sens tellement plus proche de vous que de votre père. Et pourtant j'éprouve à son égard une admiration, une estime, une reconnaissance in-fi-nies. C'est une question de générations, sans doute. Je suis très heureux d'être ici. J'ai tant de choses à lui dire. Mais je n'oublie pas que c'est à vous que nous devons l'un et l'autre cette rencontre, que sans vous elle ne se serait point faite. Et cela, c'est assez merveilleux, si, si...

Nous parlons alors de sa pièce. Je lui dis qu'il se

trompe, qu'on le trompe en voulant lui faire supprimer l'aspect social de son thème. Là est son sujet. C'est si vrai que, malgré ses efforts, il ne peut en délivrer sa pièce. Cette question de chair et de sang l'on s'attend précisément à la lui voir traiter. Mais l'expérience qu'il vient de faire prouve (ce qu'il eût dû prévoir) qu'un tel sujet est incompatible avec la scène.

— Ce que j'envisagerais, ajoutais-je, c'est un commentaire dont vous accompagneriez les parties centrales de votre œuvre. Un commentaire où vous préciseriez les raisons de votre échec, où vous mettriez toutes les nuances, toute la vie qui manquent à la pièce. Quelque chose qui serait au théâtre ce que Les Faux-Monnayeurs sont au roman.

Cette idée paraît le séduire :

— Vous avez raison ! Voilà qui est magnifique ! Cette pièce qui ne m'intéressait plus, cette pièce dont j'étais lassé me semble de nouveau passionnante. Un commentaire... Mais voilà !

Son visage s'épanouit. Il dit :

— La lecture d'hier aura donc eu son intérêt.

A table, puis à l'heure du café, la conversation est sans grand poids (relativement). Gide et mon père rappellent les souvenirs du salon de Mme Mühlfeld. Visite, à la fin de la journée, de deux des ménages espagnols dont je parlais l'autre jour. Ils évoquent encore Saint-Domingue. Nous leur offrons le thé et rivalisons tous les trois d'amabilité. Promenade en voiture à Castets. Nous nous aventurons dans la cour du château, si mystérieux et beau. Après dîner, entre Gide et mon père, intéressante conver-

sation sur Cocteau, Rivière, l'après-guerre etc. (...)
A propos de cette conversation (sur un trait de la
vie de V... rapporté par Sachs dans la *Nouvelle
Revue Française*) mon père me dira plus tard : « Rien de
plus courtois, de plus charmant, de plus *aimable*
que Gide. Et puis soudain quelque chose en lui se
déclenche et il se montre, l'espace d'un instant, avec
un visage satanique. Ainsi hier, lorsqu'il était accoudé
à la cheminée, le dos tourné et me parlait des *Mal-
Aimés*. Ainsi ce soir, au sujet de V... Lui qui est si
charitable, si sensible, si généreux, ne comprenait
visiblement pas ce qui blessait la charité, la sensi-
bilité, la générosité dans le geste de V... »

Dimanche, 2 juillet 1939.

LE matin, dans la cour, Gide est venu s'asseoir
près de moi tandis qu'on fait sa chambre. Il tient à
la main le manuscrit d'*En deçà de l'Honneur*. Il se dit
ému. Quelques critiques de détail. A propos de la
prostitution (dont je parle incidemment), il dit : « Je
vous conseille de supprimer ce passage. Il faudrait
beaucoup vous étendre pour que ce ne soit point
banal. Croyez-vous vraiment qu'un plaisir payé
cesse pour cela d'être un plaisir ? » Puis :
— Je ne vous croyais pas proche de moi à ce
point. Certains passages de votre texte éveillent
en moi un écho profond, si, si... Je me suis rappelé
ce trait que je n'ai pas raconté dans *Si le Grain ne
meurt* parce que ma mère n'en sortait pas grandie. A
Anna Shackleton, que longtemps j'ai aimée plus

que ma mère, et que j'allais voir au moins une fois
par semaine lorsqu'elle n'habita plus chez nous, ma
mère décida de donner un Littré. C'était fort gentil
de sa part. Je ne le nie pas. Mais elle ajouta ceci, qui
me blessa au plus secret de moi-même, car je découvrais pour la première fois l'injustice sociale et ce
qu'il y avait d'inhumain dans la bourgeoisie : « Pour
une Anna Shackleton, il n'y a pas besoin de maro-
quin ; une reliure de chagrin fera tout aussi bien ; une
Shackleton ne s'en apercevra pas... » (Je me souviens
du passage de *Si le Grain ne meurt* : « C'est proprement
comme gouvernante de ma mère que Mademoiselle
Shackleton entra dans notre famille... »)

Après déjeuner, dans la cour, double lecture :
mon père de sa voix qui sait rendre si bien toute la
poésie d'un texte lit l'adorable épître du jour, qui
est un chant d'amour oriental, et celle du 15 août.
Puis Gide lit des passages de la Bible. Il les lit avec
sa voix grave, palpitante, cruelle et douce, cette
voix qui n'est pas celle de sa conversation, ni celle
qu'il prend pour réciter des vers de mémoire : sa
voix de lecteur. Elle me bouleverse par la com-
plexité de ce qu'elle suggère. Gide a choisi dans le
Livre Saint les pages les plus équivoques. Il en
mime chaque détail. Il supplée aux silences par des
sourires, des hochements de tête, un geste de la main.
Ce n'est plus la tendresse de mon père, mais une
clairvoyance sans pitié, le martèlement d'une voix
implacable.

Il nous lut d'abord les pages où se trouve relaté
l'inceste d'Amnon, fils de David. Oublierai-je
jamais le ton dont cela fut dit ? (Je souligne les mots

sur lesquels le verbe déjà si appuyé de Gide appuya plus encore) : « Absalom, fils de David, avait une sœur qui était belle et qui s'appelait *Tamar*; et Amnon fils de David l'*aima*... » Et ces phrases surtout, dont le lecteur sut mettre en valeur le sens le plus caché, avec quelle perfidie, quelle joie inquiétante ! « Pourquoi deviens-tu ainsi chaque matin plus maigre toi, fils de roi... Amnon répondit : *J'aime Tamar, sœur d'Absalom mon frère*. Jonadad lui dit : Mets-toi au lit et fais le malade... » Et ceci, surtout : « Il lui fit violence, la déshonora et coucha avec elle. Puis Amnon eut pour elle *une forte aversion, plus forte que n'avait été son amour*... Absalom son frère dit (à Tamar) : Maintenant, ma sœur, tais-toi, c'est ton frère; *ne prends pas cette affaire trop à cœur*... »

Puis ce fut, du même accent sans douceur, et avec une mimique où revivaient la duplicité, la cruauté, l'astuce de David mourant, ces passages terribles où le roi conseillait Salomon son fils : « Je lui jurai par l'Éternel en disant : Je ne te ferai point mourir par l'épée. Maintenant tu ne le laisseras pas impuni... Tu feras descendre ensanglantés ses cheveux blancs dans le séjour des morts... »

— Direz-vous encore, comme l'autre jour, qu'il n'y a pas contradiction entre la Bible et les Évangiles ? s'écria Gide, que la dureté de David ravit et à qui ce hiatus entre le Dieu des Juifs et le Rédempteur semble d'un heureux augure pour son incrédulité.

Mais, là encore, deux Gide ne luttent-ils pas en lui ? S'il cherche avec tant d'acharnement des preuves pour étayer son incrédulité c'est peut-être qu'elle est entravée encore, lourde de toute la nostalgie de

Dieu. Et ce fut d'un ton presque chrétien, ce fut avec une émotion, un recueillement où rien ne subsistait plus des délectations qui avaient précédé, qu'il lut le passage si pathétique où pour sauver Sodome, Abraham la marchande à Dieu : « Peut-être y a-t-il cinquante justes... — Si je trouve dans Sodome cinquante justes au milieu de la ville, je pardonnerai à toute la ville, à cause d'eux... — Peut-être de cinquante justes en manquera-t-il cinq : pour cinq détruiras-tu la ville ? » Et peu à peu, Abraham obtient que pour dix justes Dieu encore sauvera Sodome.

Ce texte, Gide dit le placer plus haut que les plus belles pages grecques. Il est ému, physiquement atteint. Il murmure : « Est-ce parce que je retrouve mon enfance à qui ces lignes furent chères... Mais non, il s'agit de la Beauté, n'est-ce pas ? D'une beauté intrinsèque. » Puis il retrouve son ton le plus sardonique pour lire la page où l'on voit les anges désirés par la population de Sodome, *depuis les enfants jusqu'aux vieillards*. De nouveau Satan rôde...

— Je raconterai que François Mauriac m'a obligé à lire la Bible tout un après-midi de dimanche, dit-il en riant.

Et mon père de répondre :

— Et je préciserai que vous avez choisi les passages les plus scabreux, comme de juste...

Le thé nous réunit une fois encore. André Gide dit des *Méditations sur l'Évangile* de Bossuet qu'elles « le rejettent automatiquement par leur outrance dans l'incrédulité ». Je pensais qu'il s'y trouvait déjà. Ne me l'avait-il pas dit ? Mais un cœur d'homme n'est pas si simple, singulièrement celui d'André Gide.

Que dire de notre quotidienne promenade en auto ? Sauveterre de Guyenne, Blasimon, le petit village de Mauriac. Bien plus que les églises romanes qui plaisent tant à Gide et à mon père, me toucha la somptuosité de ces campagnes où la lumière s'étend et que baignent les parfums de la menthe, des feuillages frais, de l'herbe sèche, et l'humide odeur de verdure et de terre des chemins creux.

Après dîner, j'allai chercher la Bible dans l'espoir d'une nouvelle lecture. Gide aussitôt me la prit des mains. A l'âpreté de cet après-midi a succédé dans sa voix une douceur touchante. Gide est tout imprégné ce soir de la paix de Dieu. Tandis qu'il lit, je considère sa figure d'où s'est effacé le moindre signe d'usure. L'ovale est pur, les traits sont reposés. Je reconnais son visage de jeune homme, celui-là même que je cherchais en vain, sur les photographies, à rapprocher du masque d'aujourd'hui.

— Jeunesse miraculeuse et qui est peut-être voulue par Dieu, me dira mon père, à demi ironiquement, mais avec un certain sérieux tout de même, comme si, n'osant l'avouer, il le dissimulait sous le ton d'une feinte plaisanterie. — Dieu donne au moins cela à ses damnés : une vie terrestre particulièrement florissante, préservée, heureuse...

Et ce calcul attribué à Dieu, me fit penser à ces mots de Pascal que mon père (il faut le dire : horrifié) nous avait rappelés l'après-midi même et où se découvrait la même inconcevable duplicité soi-disant divine : *On n'entend rien aux ouvrages de Dieu, si on ne prend pas pour principe qu'il a voulu aveugler les uns et éclairer les autres... Il y a assez de clarté pour éclairer les élus et assez d'obscurité pour les humilier. Il y a assez d'obscurité pour aveugler les réprouvés et assez de clarté pour les condamner et les rendre inexcusables.*

J'aime de plus en plus cette voix qui se gonfle et déferle, éclaboussante, pour se reformer bientôt après et rouler de nouveau. C'est d'abord l'histoire de Job qu'elle chante. Quel accent Gide prête au diable venu avec « les fils de Dieu » (?) accuser Job. Mais de quelle tendresse il charge les paroles que l'Éternel adresse à Satan : « Voici, tout ce qui lui appartient, je te le livre : *seulement ne porte pas la main sur lui...* » Puis ce sont les premières pages de la Genèse. Telle est l'ampleur de ce verbe, que je me sens transporté très loin, dans un univers éblouissant. Gide nous fait remarquer qu'il y a *deux* arbres interdits à Adam : l'arbre de vie et l'arbre de la connaissance du bien et du mal. C'est seulement aux fruits de ce dernier que touchent Adam et Ève.

— Oh ! je sais, dit mon père. Il y a là un passage assez troublant. On y voit Dieu *ayant peur* de l'homme, ayant soudain peur d'être délogé par l'homme...

Et Gide de lire à l'appui : « L'Éternel Dieu dit : Voici, l'homme est devenu comme l'un de nous, pour la connaissance du bien et du mal. Empêchons-le maintenant d'avancer sa main, de prendre de l'arbre de vie, d'en manger et de vivre éternellement. Et l'Éternel Dieu le chassa du jardin d'Éden... »

— On ne peut pas comprendre, on n'ose pas comprendre, dis-je.

Gide, rappelant le merveilleux passage : « Les

yeux de l'un et de l'autre s'ouvrirent, ils connurent qu'ils étaient nus, et ayant cousu des feuilles de figuier, ils s'en firent des ceintures. Alors ils entendirent la voix de l'Éternel Dieu, qui parcourait le jardin vers le soir... » Gide s'écrie :

— C'est la découverte de la conscience, de la conscience que Dieu eût préféré ne pas voir naître... C'est Dieu menacé par l'homme...

Mon père, songeur, ajoute :

— Il s'agit d'images, bien sûr... Mais la vérité doit se cacher sous elles. J'aime tout au moins à le penser. Car que le monde soit né de Dieu, ou qu'il soit né de rien, le mystère reste le même. A tout prendre, l'hypothèse de la Bible me paraît la plus vraisemblable.

Il y eut alors une de ces conversations banales, mais toujours vertigineuses, sur le néant, l'infini, l'être. Puis, insensiblement, nous retrouvâmes la mesure de la terre, nous tirâmes à hauteur d'homme. Ce fut Francis Jammes et son art, merveilleux lorsqu'il s'agit d'évoquer les prairies et le ciel d'été, qui nous y conduisit. Gide et mon père récitèrent de nouveau d'admirables poèmes, et je pus une fois de plus comparer ces trois voix si différentes d'un même homme : celle si appuyée, disséquée, accentuée de Gide récitant des vers de mémoire (alors les fins de phrases s'éternisent, s'achevant dans un long et susurrant soupir); celle rythmée mais plus rapide de sa conversation; et, enfin, le grand balancement de la lecture, où se retrouvent les saccades, les accentuations de ses autres voix, mais noyées dans un grand flot lyrique.

Il ne put aller se coucher sans nous lire encore un passage de la Bible, celui où se trouve relaté la sagesse de Salomon.

Lundi, 3 juillet 1939.

Gide, assis dans l'entrée, interrompt sa lecture d'*En deçà de l'Honneur* et me happe au passage :

— Que nous soyons si proches malgré notre incroyable différence d'âge me stupéfie... Comme nous aurions été amis si nous avions eu le même âge, si nous nous étions rencontrés alors que j'étais jeune...

Il parle, le corps détourné, le regard perdu. Il m'indique les passages de mon essai qui ne lui plaisent pas. Mais, dans l'ensemble, il est satisfait. Nous parlons de notre commune angoisse :

A. G. — Croyez-vous que j'aie été au communisme pour une autre raison ? Je me sentais aussi requis de tenter quelque chose, de m'arracher à ma quiétude. Vous avez sur moi une supériorité : vous connaissez votre imposture. A votre âge, je vivais dans le luxe sans savoir ce que cela signifiait d'injustice. Peu à peu, pourtant, j'ai eu peur de la richesse. Je me suis détaché de la plupart de mes amis opulents. J'ai fréquenté les pauvres. Cela m'a ouvert les yeux. Mais qu'ai-je fait ?

C. M. — Vous avez *risqué* plusieurs fois. Vous avez commis des imprudences. Vous vous êtes engagé. Le dernier exemple est particulièrement beau à mes yeux : votre démission du parti commu-

niste. Vous avez renoncé à la popularité parce que
vous ne pouviez plus la connaître qu'en renonçant
à la vérité. (...)

Est entré mon père. Intéressante conversation
entre Gide et lui :

A. G. — Il y a toujours opposition entre le
christianisme et le catholicisme. Dès qu'un catholique m'attire, je m'aperçois bientôt qu'il agit en
chrétien *contre* l'assentiment des catholiques. Ainsi
Claudel représente le catholicisme et vous le christianisme.

F. M. — Mais, mon cher ami, il ne s'agit que
de la lutte *à l'intérieur de l'Église*, de l'esprit et de la
lettre (cela dit en précisant que je n'ai pas l'orgueil
de croire que je représente l'esprit) !

Puis, après un silence, mon père reprend :

— Ma religion m'apporte quelques consolations
très précieuses : la confession, d'abord, ce miraculeux rajeunissement, la certitude quoi qu'on ait
fait d'être pardonné, cette joie d'être de nouveau en
présence d'une page blanche...

— Que l'on aura d'autant plus de plaisir à noircir
à neuf !

— Mais non, cher Gide ! Vous voyez la facilité
de la confession. Mais il importe de ne pas la juger
sur ceux qui en font un mauvais usage. Il faut
admettre que les hommes probes qui se confessent ne
le font pas sans un vrai repentir. Du reste il n'y a pas
de confession valable sans cela. Il est difficile, il est
dur d'aller se confesser.

— Vous m'étonnez ! Cela doit être... Comment
dirai-je ?... Oui, une volupté...

— Vous oubliez qu'il n'y a pas que les grands beaux péchés. Il y a aussi les petites fautes mesquines, ridicules...

— Pourtant cela doit être une volupté aussi que de s'humilier !

— Cela m'est quant à moi, très dur. Mais quelle joie ensuite ! Et puis la religion m'apporte cette autre consolation : communier. Ainsi, évitai-je, bien souvent, une sorte de désespoir. Que me font dès lors les erreurs, les fautes, les injustices de l'Église ! Je la juge pour ce qu'elle est aussi : une institution humaine. Vous dites que l'on pourrait bien m'en chasser. Si cela était vrai, je rentrerai aussitôt par l'autre porte. Je n'abandonnerai jamais le Christ.

— Mais je l'espère bien ! S'ils étaient plus nombreux les catholiques de votre sorte, je me convertirais, bien sûr...

Nous allâmes par la prairie jusqu'à la terrasse. Il nommait les insectes et les plantes. Il était jeune, apaisé, heureux. Contradictions de ce Protée trop sensible pour être Un. Il parle un jour de la certitude où il se trouve de l'inexistence de Dieu, un autre de son désir d'être chrétien — ou de la possibilité d'une conversion, ce qui implique un commencement de foi.

— Comme on le devine vulnérable, me dira mon père. A mesure que l'on parle, on le sent convaincu davantage. Si nous ne le connaissions pas, l'un et l'autre, ne le croirions-nous pas très proche de la conversion, à la suite de cette conversation ? Mais un dialogue avec un ennemi du Christ amènerait de sa part une adhésion semblable. Qu'il se rassure, je n'ai aucune envie de le convertir. J'aime mieux le savoir dehors que dedans puisque, dans les deux cas, il lui faut rôder, plein de remords, autour de la porte. On ne peut que lui souhaiter une conversion de la dernière heure. (...)

4 heures. Voix de mon père dans la cour :

— Claude !

— Oui !

— Gide est parti à pied pour Langon où nous devons le retrouver à 5 h. 1/2. Il voulait être seul.

Et le ton fort ironique, soudain :

— Sans doute se proposait-il de chasser dans les collines... Il m'a demandé si on se baignait dans la Garonne. Il a dû aller rôder par là.

Je ris, mais sans bonne conscience. Rien de ce qui est humain ne me semble risible. La seule valeur de ce journal est celle-ci : mon témoignage de bonne foi obéit à un postulat qui est de prendre les êtres au sérieux. Le sourire est permis, bien sûr, mais pas ces gros rires bas. Je me considère sans indulgence toutes les fois que je cède au pauvre plaisir de ricaner.

A Langon :

A. G. — Je me suis promené le long de la Garonne. C'était très *exal*tant.

F. M. (perfidement). — Il ne devait pas y avoir grand monde...

A. G. — Quelques personnes tout de même... (...)

Magnifique nuit. A 10 heures, « le jour erre encore au bas du ciel ». La lune monte dans le concert des grillons, dans l'odeur venue de la lande. Gide parle des deux occasions où il pensa au suicide. La première en allant à la caserne où il s'aperçut qu'il ne pouvait satisfaire sans déchoir à son immense désir de sympathie :

— Dans le train qui nous emmenait, mes camarades et moi, tant de vulgarité et d'obscénités m'accablèrent. J'avais vraiment envie de mourir. Mais le soir, dans la chambrée, un caporal passa devant le lit où je feignais de dormir. Il me regarda et soudain prit une capote et m'en couvrit les jambes. La joie reflua en moi, un tel bonheur que je ne pensais plus au suicide. Le lendemain j'entrais à l'infirmerie car j'avais attrapé froid malgré la sollicitude du caporal Herbette (tel était son nom). Deux jours après, j'étais réformé.

La seconde occasion fut celle-ci : après s'être laissé entraîner à faire à J.-E. Blanche des confidences qui le couvraient lui, Gide, de honte. Il se sentit écœuré, dégoûté, sali, au point de vouloir mourir.

La soirée, dans la nuit douce, fut sans histoire. Nous jouâmes avec un « cerf-volant » tombé du ciel : Gide aime les insectes et, plus généralement, tout ce qui vit, d'un respectueux, d'un attentif amour.

Mardi, 4 juillet 1939.

NOUVELLES de Paris. Ma mère très inquiète à cause des événements : « Jeudi, nous fûmes quasi désespérés. » Pluie. Lassitude. Aurai-je encore le temps de vivre ? Je prends par téléphone un rendez-vous chez le dentiste, à Bordeaux, pour Gide. Après déjeuner, le soleil revient.

Mon père, à voix basse, parce que la chambre où Gide vient de monter pour faire sa sieste est au-dessus de nous :

— J'ai eu une très grave conversation avec lui, ce matin. Il m'a dit ces mots étonnants : « Si ma femme pouvait savoir que je suis ici avec vous, comme elle serait heureuse ! » Il a recommencé à me parler de l'art qu'ont les catholiques pour attirer à eux, pour compromettre avec eux ceux du dehors. Je lui ai répondu d'une telle façon qu'il a accusé le coup. Je parlais de Green. Mais il sentait que j'eusse aussi bien pu mettre Gide à la place Green. Je lui ai dit : « Pardon, cher ami ! Aucun rapport entre un J. B..., né dans un milieu antichrétien, un Dabit, élevé à l'Hôtel du Nord, et un Green, par exemple, un Green qui a connu le Christ, qui a été de ses enfants dès la première heure, qui l'a abandonné en connaissance de cause. » Il a frémi. Je le touchais au vif. Il est de ces êtres dont parle Péguy, tu sais, ceux qui sont *perméables à la Grâce*. Il est peut-être perdu. Mais il est imbibé par Dieu. Il n'y a pas de nature plus spontanément religieuse. J'ai insisté avec force sur ce point : qu'il y a des conversions, mais qu'il n'y a pas de convertisseurs. C'est une affaire entre Dieu et soi, sans aucune entremise. Il arrive qu'à la minute où il le faut quelqu'un se trouve là pour donner le nom d'un prêtre, par exemple. Mais c'est un moyen, non une cause. Il avait l'air très frappé.

La même voix chuchotante continue :

— On le sent corrompu. Mais le mal est extrêmement dissimulé. Comme il est attachant ! Et comme
cette intelligence vaste, solide, ample est sédui-
sante ! Ce séjour aura été bien intéressant, ne trouves-
tu pas ? Je ne le regrette point pour ma part !

Nous allons dîner à Langon chez le restaurateur
Oliver, dehors, sous le tilleul odorant. Nous parlons peu, attentifs à la conversation de nos savoureux voisins (des élèves pharmaciens qui reviennent
d'un examen). Le fils d'Oliver séduit Gide, et nous-
mêmes, par sa simplicité. Un extraordinaire Raspou-
tine, dont la barbe noire mange la figure, est arrivé,
coiffé d'un canotier et suivi d'un jeune homme.
Il s'est installé à une table à l'autre bout du jardin.
Gide, très intrigué, n'a de cesse que nous ayons
demandé des renseignements à M. Oliver sur cet
étrange personnage. Mais il ne peut nous répondre.
Il sait seulement « qu'il n'a jamais vu tant de barbe
à la fois ». Égayés par un petit vin sec, nous appre-
nons sans tristesse que le cinéma, qui avait été le
prétexte de notre sortie, est fermé le mardi. Nous
retrouvons avec plaisir Malagar où Gide, aussitôt,
nous fait une lecture : des passages de l'essai sur
L'Esprit de Conquête et l'Usurpation de Benjamin
Constant, qu'il possède dans une édition de l'époque.
L'euphorie du vin m'empêche de bien comprendre
et même d'écouter ces pages qui pourraient être
écrites, cela je m'en rends tout de même compte, à
propos de Hitler, de Staline, de Mussolini et datées
d'aujourd'hui.

Mais mon père a été chercher *Atys*, ce poème

auquel il travaille depuis de nombreuses années et dont il a publié des extraits dans son dernier roman, *Les Chemins de la Mer*. Il lit de sa chaude voix et son visage s'éclaire et s'obscurcit de toutes les nuits, de toutes les flammes de l'amour. Gide laisse échapper à mi-voix des « C'est très remarquable... C'est très extraordinaire... C'est tout à fait bon... » Et il renifle, souffle, toussote. Telle est son attention qu'il interrompt un moment la lecture pour faire remarquer l'absence d'un vers. Mon père avait oublié de le recopier. Moi je n'y avais vu que du feu, naturellement. La beauté de ce chant d'amour charnel me cingle parfois, mais ce ne sont que des rafales. Je pressens la grandeur du texte, je la connais sans vraiment l'éprouver que par bouffées. Une fois de plus, je touche mes limites. Je me vois borné, petite île déserte dans l'océan perdue, un océan dont je ne connaîtrai jamais les merveilles. Rien n'a pour moi de secret jusqu'à un certain point. Mais ma puissance ne va pas plus haut. C'est là le cran d'arrêt. Et je vois les êtres plus sensibles, plus intelligents, continuer seuls l'ascension. Mon élan est brisé tandis que le leur s'épanouit. Le poème se gonfle, il jaillit et je le trouve d'une beauté émouvante, et je me reproche de n'en pas savoir comprendre plus, et j'envie Gide de ne point se laisser distancer. Je songe que dans tous les domaines de la vie, je suis ainsi enchaîné. Mon rayon d'action ne me permet pas les grands raids. Je ne puis qu'escorter un moment les oiseaux de haut vol. Je pense à ce livre qu'il me faudrait écrire : celui de l'inintelligence. Un beau titre : *De l'Inintelligence*.

Quant à l'intelligence de mon inintelligence et à l'inintelligence de mon intelligence, je me suis déjà ici brièvement exprimé. Ce soir je pense surtout à la sécheresse de mon cœur. Ce poème de mon père me révèle une fois de plus ce trait essentiel de son personnage que j'ai trop tendance à oublier : qu'il fut dévoré par l'amour. Et je me regarde, moi, pauvre cœur sans mystère et presque sans histoire... Peut-être mon père a-t-il épuisé la faculté d'aimer de plusieurs générations. Je suis desséché. Toutes les sources sont en moi taries.

Atys chrétien, après l'*Atys païen* et c'en est fini du poème. Notre hôte laisse déborder son admiration. Et ce n'est pas un lieu commun que d'user de ce terme en parlant de Gide pour lequel il est vrai à la lettre.

A. G. — Les fragments que vous aviez publiés m'avaient enthousiasmé. Mais on pouvait croire à un choix... Or, tout est beau, d'un bout à l'autre, d'une rare beauté... Que ne publiez-vous ce poème ? Ce serait une surprise, une stupeur...

F. M. — Justement... et j'ai trop peur de scandaliser. Le paganisme de cette œuvre est si terrible... Je l'ai brûlée pour cela, à plusieurs reprises. Mais je retrouvais toujours des bouts de brouillon qui me permettaient de la reconstituer. Maintenant, je n'ai plus envie de la détruire...

A. G. — A la bonne heure ! Mais que ne la publiez-vous ?

F. M. — Je représente tellement pour tant de jeunes gens, pour tant d'hommes... J'ai une telle responsabilité... Je sais bien que j'occupe une place *imméritée*. Mais que faire ? Encore l'autre jour, j'ai supplié les dirigeants de *Temps Présent* de me rendre ma liberté. Je leur ai dit et redit que *je n'étais pas digne* de tenir cette tribune, que j'étais le contraire d'un directeur de conscience... Ils m'ont supplié de continuer...

A. G. — Bien sûr, Atys est païen, mais vous n'en paraissez que plus grand. Votre position n'en est que plus belle : on voit d'où vous venez, sur quoi vous avez bâti votre foi. Et la fin du poème n'est-elle pas chrétienne ?

F. M. — La fin ? Rien n'est fini... Mon poème ne sera jamais fini... J'y travaille toujours...

C'est alors que je me décidai à intervenir. Je le fis avec d'autant plus de fougue, de lyrisme, que je sentais, à mesure que je parlais, grâce à l'approbation de Gide et à l'inquiétude de mon père, que j'étais dans le vrai. Je lui dis que rien ne me paraissait plus *pur* que ce poème jailli de lui-même. Il était pur en ce sens qu'il était vrai, né de la vérité même. A cette plante sauvage, poussée toute seule de sa chair, je comparais ces machines infernales, autrement dangereuses à mon avis, puisque montées patiemment et *voulues* dans leur moindre détail, je veux dire, ses pièces de théâtre : le moment où M. Couture enserre de ses deux mains les épaules de la petite Emmanuelle, celui où M. de Virelade torture Élisabeth à propos de l'incident du revolver. Les limites du supportable sont touchées. Cela, je comprendrais que mon père puisse s'en inquiéter (et justement, il ne pense pas alors à sa responsabilité). Mais la spontanéité, la franchise d'Atys ne peuvent pas faire de mal : la nature s'y épanouit selon sa voie; cette nature dans *Asmodée*, dans *Les Mal-Aimés* est au contraire prise comme un prétexte à d'habiles, à de nocives variations...

Gide d'acquiescer et de conseiller de nouveau la publication (à la rigueur sous un pseudonyme). Mon père est un peu troublé : Gide et moi lui disons que ce que nous voyons de dangereux dans ses pièces est *inarrangeable* car là est son sujet, toute la beauté de son art. Il se montrait prêt, à la suite de notre intervention, je le voyais bien, à *adoucir* les *Mal-Aimés*. Il ne se rendait pas compte que c'était impossible sans tuer la pièce. Ni Gide, ni moi ne nous formalisions de l'existence des *Mal-Aimés*. Au contraire ! Mais celle d'*Atys* nous paraissait *a fortiori* devoir être sauvegardée.

Mercredi, 5 juillet 1939.

Ennuyeuse journée à Bordeaux. Déjeuner avec Gide et mon père chez les Guillemin. Courses dans la ville surchauffée où il pleut. Visite à oncle Jean que l'importance de son hôte inattendu trouble au point qu'il ne peut que balbutier sur le ton le moins naturel du monde. Gide va chez le dentiste. Il offre son *Journal* à mon père (qui, à Malagar, me donne le sien). Henri Guillemin, gentil, mais inquiet au possible (il craint que Gide et mon père ne s'ennuient) nous accompagne jusqu'au départ. Nous sommes à Malagar à 6 heures, considérablement abrutis tous les trois par notre journée à Bordeaux.

La soirée est morne et je prends peu de plaisir à la lecture de Verlaine qui est faite par mon père. Mais bientôt le livre est posé, la mémoire suffit qui, bien plus que la lecture, sait évoquer la poésie et la rendre vivante. A deux voix, André Gide et François Mauriac récitent, les yeux mi-clos, le geste vague, le ton serein :

> *Le ciel est, par-dessus le toit,*
> *Si bleu, si calme !*
> *Un arbre, par-dessus le toit,*
> *Berce sa palme...*

Et surtout ces vers, légèrement oubliés d'eux, et qu'ils s'aident l'un l'autre à retrouver — et leurs voix se mêlent :

> *L'espoir luit comme un brin de paille dans l'étable...*
> *... Midi sonne. De grâce, éloignez-vous madame.*
> *Il dort. C'est étonnant comme les pas de femme*
> *Résonnent au cerveau des pauvres malheureux...*

Et dans le *Ah ! quand refleuriront les roses de septembre* final conflue leur commune émotion.

Gide raconte :

— J'ai vu Verlaine trois fois. L'une en compagnie de Pierre Louÿs qui a rapporté avec exactitude notre visite dans *Vers et prose*. (J'y fais allusion au début de mon *Journal*.) C'était à l'hôpital Broussais. Une autre fois... Ce fut si extraordinaire que je ne l'oublierai jamais : à la sortie du lycée (Henri IV ?) je fus attiré par un rassemblement. Les élèves des petites classes entouraient un homme et le couvraient de

huées. C'était Verlaine, complètement ivre. Il était
coiffé d'un chapeau haut de forme et, faute de
bretelles, tenait à deux mains son pantalon. Les
gosses le poursuivaient. Alors il se retournait,
de loin en loin et criait : Merde ! avec une sorte de
haine et de courage. On eût dit un vieux sanglier
entouré de roquets.

— Vous êtes intervenu ?

— Non, n'est-ce pas, qu'aurais-je fait ?

Et mon père de rappeler ce que Paul Valéry lui a
dit : qu'il rencontrait souvent Verlaine, mais dans
un état si pitoyable qu'il en avait horreur. Il ne lui
adressait pas la parole.

Jeudi, 6 juillet 1939.

JEAN DAVRAY, dans ses lettres, parle avec curiosité
de ce que doit être mon journal de ces jours-ci. Je
m'avise que j'omets d'y noter cent anecdotes qui
lui donneraient, aux yeux de mon ami et d'éventuels
lecteurs un certain attrait. Aujourd'hui sur Montherlant, hier sur Jacque-Émile Blanche, un autre jour
sur Claudel, Copeau, Rivière ou Proust, mon père
et Gide amoncellent les souvenirs. A les rapporter,
mon journal gagnerait certainement en pittoresque.
Mais, outre que j'ai déjà bien du mal à trouver le
temps de l'écrire tel qu'il est, je suis assez peu sensible au charme de la « petite histoire » littéraire.
Sans doute faut-il voir l'origine de cette indifférence dans le fait que depuis mon plus jeune âge
j'y suis mêlé. La plupart des anecdotes que mon

père raconte ces jours-ci pour la plus grande joie de Gide — qui s'étonne d'une telle aptitude au comique — je les connais depuis toujours. Je les connais si bien que j'ai dû négliger même de les noter jamais ici. C'est dommage, j'en conviens — et encore plus en ce qui concerne celles rapportées par Gide. Ce séjour est beaucoup plus riche que je ne sais le dire. Il s'accompagne de toute une vie matérielle quotidienne qui a son intérêt. La gourmandise de Gide, la façon charmante dont il a pris ici ses habitudes, vaudraient qu'on s'y attache. Mais sollicité par ce que chaque jour apporte d'unique, j'oublie de tenir compte de ce qui appartient à chaque jour, de ce qui se représente chaque jour avec la même apparence : les bonjours de Gide, ses adieux, la façon qu'il a de se tenir à table (avec une nonchalante élégance, la chaise éloignée, les jambes croisées), ce qu'il dit de ses nuits, de sa sieste, de ses lettres. Comme je ne pense point à parler de l'empressement de mon père et du mien à lui éviter tout dérangement.

La matinée se passe à la terrasse, en plein soleil. Gide et mon père parlent du *Journal* (de Gide). Des anecdotes s'accumulent que je tairai. On parle d'une lettre de Bergery (écrite sur mon conseil, cela Gide ne le sait pas) où un article est sollicité pour le numéro que *La Flèche* prépare sur la Révolution française. Notre ami fait de nouveau allusion à l'impossibilité où il se trouve présentement d'écrire.

— Ce qui devrait vous rassurer, dit mon père, c'est que votre *Journal* prouve que toute votre vie vous avez été préoccupé par la même angoisse.

Parce que vous êtes Gide, précisément, et qu'entre votre œuvre et vous s'interposent votre esprit critique, votre intelligence, et le grand amour que vous avez de la vie.

Gide rappelle alors qu'il fut si découragé par la presse de *L'Immoraliste* qu'il resta sept ans sans rien écrire (jusqu'à *La Porte étroite*). Il parle de l'insuccès de chacun de ses livres, à ses débuts. Il se félicite de cette non-réussite préliminaire. Le succès l'eût modifié. Il l'eût privé de cette réserve qui fait toute sa raison d'être. Il avoue que s'il avait eu du succès au théâtre, il aurait tout abandonné pour continuer dans cette voie, quitte à faire même des concessions au public.

Mon père aime à croire qu'il n'est pas de *rencontre* qui ne soit voulue par une puissance cachée — Dieu, sans doute. Peut-être le commencement d'amitié que Gide me voua avait-il cette seule raison que ni lui ni moi ne pouvions connaître : le rapprocher de François Mauriac. Je n'aurais alors servi que de truchement. Hier soir pourtant, il a murmuré en profitant d'une courte absence de mon père :

— Je n'aurais pas osé confier à François Mauriac ce que je vous ai donné à lire à Paris...

Véritablement étonné, alors qu'une telle phrase ne m'aurait pas surpris il y a encore huit jours, je répondis :

— Mieux que moi pourtant il peut tout comprendre...

Que Gide fît allusion à une confiance particulière

qu'il m'ait vouée m'étonnait donc. Déjà j'avais pris
mon parti de l'avoir déçu. Ce parti, oui, je l'ai pris
et les brèves tentatives de Gide vers mon cœur, bien
qu'elles me paraissent prouver qu'il ne me trouve
pas tout à fait inintéressant, ne me redonnent pas
mes illusions passées. Ce séjour aura eu ce résultat :
de permettre à Gide de toucher mes limites, de
me permettre non d'atteindre les siennes, mais
de les pressentir, ce qui me fait paraître moins
désirable son amitié. Je veux dire que sa fréquentation et la lecture de son journal m'ont appris ceci :
tout est médité, voulu, chez lui, et jusqu'à ses défaillances. L'abandon qui m'avait tant touché à Paris,
je me suis aperçu que, dans une perfidie plus ou
moins consciente, il en tenait les commandes. Nous
avons menti l'un et l'autre, plus ou moins volon-
tairement, parce que, l'un et l'autre, nous souhai-
tions nous plaire.

Mon père brille, et moi je me tais. Je me trouve
à ma place dans l'ombre. Je m'y tiens sans jalousie.
Il arrive pourtant, je l'ai dit, que Gide vienne me
chercher dans mon refuge. Il lui arrive de me parler
de nouveau avec confiance, avec affection. Je suis
gêné, alors, et je ne fais rien pour l'encourager à la
confidence. Ainsi ai-je laissé mourir, hier, l'entretien ébauché. Il a dû me sentir méfiant, renfermé.
Il n'a plus trouvé qu'une coquille où plus rien ne
semblait vivre. Me rendre cette justice : que pas une
fois, ici, je n'ai cherché à me surpasser pour gagner
l'estime de Gide. Constamment je suis resté naturel
et, sans faire le moindre effort, jamais, pour paraître
un peu moins prosaïque, insignifiant, banal.

Gide m'a pris au mot. J'ai vu aujourd'hui dans les mains de mon père le petit cahier rouge brique de l'aventure conjugale.

Après dîner, mon père lit son court essai sur *Pascal* destiné à l'Amérique. « C'est effroyable ! » répète Gide comme un leit-motiv à propos du jansénisme. Dans ma fatigue, je n'ai goût à rien, et surtout pas à écouter Gide.

Vendredi, 7 juillet 1939.

ÉCOUTER Gide, l'interroger, dépasse mon courage. Une sorte de dégoût me submerge qu'apaise un moment la décision que je prends de faire d'*En deçà de l'Honneur* quelque chose de publiable. Cocteau peut attendre. Non ce témoignage. De nouveau, comme en septembre dernier, me talonne la mort possible. Il est grand temps de faire son testament.

Matinée passée à lire le *Journal* de Gide, dans la cour, auprès de Gide lui-même qui lit le *Mystère Frontenac*. Aucune communication entre nous. Après avoir décidé de faire l'article demandé par Bergery, il y renonce, faute d'idées et par grande paresse de l'action : « Qu'on me laisse tranquille... Je ne sais plus où j'en suis avec la révolution... J'ai bien mérité tout de même qu'on me laisse en paix, non ? » Je comprends son découragement et qu'il aspire au calme. Mais je me suis moralement engagé aux yeux de Bergery. Cela me vexe un peu d'avoir trop compté sur mon crédit auprès de Gide.

Mon père et moi parlons des fameuses notes conjugales :

C. M. — Ne trouvez-vous pas étonnante cette force qui le presse à écrire, et *surtout à montrer* de tels aveux ? A vous comme à moi il n'a pu s'empêcher de confier ses plus douloureux secrets...

F. M. — Cela fait partie de son personnage. Je dirai même : de sa maladie. Lorsqu'il me demandait s'il pouvait publier ce *Journal*, je pensais en moi-même : « Vous savez bien que vous le publierez; que vous ne pouvez faire autrement que de le publier. Pourquoi faire semblant de me demander mon avis ? »

C. M. — L'histoire du train, n'est-ce pas, est effarante...

F. M. — Effarante ! Et là, on surprend bien ce qu'il y a d'involontaire, d'insurmontable dans le cas d'un Gide. Devant sa femme, en plein voyage de noce... Ne même pas se cacher d'elle... C'est inconcevable. Je lui en ai fait carrément la remarque. Il m'a répondu avec humilité : « *Je ne pouvais agir autrement. C'était plus fort que moi. Il n'y avait rien à faire. Rien, vous entendez, rien ne pouvait m'empêcher...* » Je lui ai dit aussi que sa femme n'eût pas été consolée à la lecture de ses notes. Ne l'y voit-on pas pleurer sur lui-même et non sur elle lorsqu'elle a brûlé ses lettres ? Il m'a répondu que j'avais raison, et que peut-être sa femme détruisit-elle sa correspondance pour cela seulement qu'il la destinait moins à elle qu'à la postérité, ou plutôt à la postérité *tout autant* qu'à elle. « Ce qu'il y a de beau en vous, lui ai-je dit, c'est que *malgré tout*, vous avez gardé une délicatesse merveilleuse... »

En le voyant s'éloigner tout à l'heure, mon père avait loué sa gentillesse, son intelligence, sa *grandeur*. Il avoue que ce séjour l'a beaucoup attaché à lui et qu'il l'aime bien. C'est le mystère de Gide que de concilier ainsi des inconciliables. Nul doute que mon père, bien plus que moi, ne soit hanté par ce qu'il y a d'impureté dans la vie de Gide. Mais il l'estime, mais il l'aime tout autant que moi.

Il ne se passe pas de jour où mon père ne fasse allusion aux mille empêchements qui lui interdisent de s'expliquer franchement sur tel ou tel sujet : sa responsabilité au point de vue religieux, la piété filiale, etc... Et Gide de déplorer avec de hauts cris cette timidité et cette délicatesse. Hier, il s'exclamait : « Mais vous êtes couvert de chaînes ! » Et aujourd'hui, comme, après nous avoir lu à haute voix des extraits de la *XVIe Provinciale*, « *Vous me faites pitié, mes Pères !* » mon père disait regretter de ne pouvoir écrire, à l'occasion, de bons pamphlets et qu'il donnait cette raison : « Cela n'intéresserait personne... », André Gide éclata d'un rire énorme. Sa voix se fit pressante, tentatrice : « Allez ! Mais allez donc, cher ami, n'hésitez pas... Pas de lecteurs ! C'est trop drôle... »

A la fin de la journée, nous avons été, Gide et moi, au camp des réfugiés de Verdelais, où nous fûmes reçus par les deux charmants ménages. Mon père m'avait confié deux livres signés pour eux et Gide, habituellement si avare de ses autographes (et qui n'avait signé le *Journal* qu'il donna à mon père qu'après avoir fait remarquer à plusieurs reprises et avec une insistance gênante, la rareté de son don),

Gide, pour les proscrits espagnols, n'avait pas cru devoir ni pouvoir refuser : il leur rapportait les deux ouvrages qu'ils avaient donnés l'autre jour pour qu'il y mît des dédicaces. Dès notre arrivée, Gide m'avait entraîné dans une grange où des gosses jouaient à colin-maillard. Mais notre indiscrète irruption les avait troublés. Interrompant leurs jeux, ils s'étaient groupés autour de nous, et leurs jeunes visages en sueur riaient. Gide regrettait de ne pas savoir l'espagnol... Était arrivé ensuite un de nos amis réfugiés qui nous introduisit dans la petite salle où nous fûmes reçus l'autre jour déjà. Ces deux jeunes femmes, ces deux garçons, Gide, moi : une confiance nouvelle nous met à l'aise. Plus de gêne soudain d'un côté comme de l'autre. Ils nous racontent leur triste déroute, et les amis fusillés à la frontière même par les nationalistes qui les avaient rejoints, et les journées dans la neige, sans nourriture, sur les routes de France embouteillées — et, plus loin dans le passé, le bombardement de Lérida où l'une des jeunes femmes avait perdu sa mère, et leurs mariages hâtifs... Ils nous disent leur déception en apprenant hier, à Bordeaux, que les bateaux pour Saint-Domingue sont complets et qu'ils ne peuvent partir avant septembre...

Une rumeur, l'espace d'un moment, nous attire dehors. Ce fut bref et pathétique. Toutes les femmes, tous les enfants du camp entouraient une vieille guimbarde où deux jeunes femmes et un jeune homme étaient assis tant bien que mal parmi un amoncellement de paquets informes. Rappelés par leurs familles, ils avaient reçu l'autorisation de

regagner l'Espagne... Le garçon avait un visage que
la joie illuminait, mais qu'avivait aussi une émotion
presque douloureuse. Il étreignait nos amies infirmières qui s'étaient longtemps relayées à son chevet
car il avait pris mal dans les neiges du Puygcerda.
Une des femmes pleurait. Parmi celles qui restaient,
que de visages en larmes ! Les mains se tendaient.
Cette petite foule aux guenilles multicolores s'agitait et sa rumeur nous plongeait dans un autre
monde, très loin de France. Gide s'était approché.
Il serrait la main du garçon. Je levai mon bras aussi,
en signe d'adieu, comme si c'était des amis qui
partaient. Je songeai que ces gens, qui avaient
connu ensemble tant de douleurs, peut-être tant
de joies, ne se reverraient sans doute plus jamais. Le
garçon serrait sur sa poitrine une jeune fille. Ils se
disaient au revoir, comme s'ils devaient se retrouver
bientôt...

Et la voiture s'en alla dans la poussière, saluée
par les cris des gosses. Demain, ce serait pour eux
l'Espagne, puisqu'on voulait bien les y recevoir.
Cette Espagne où pourtant la terreur règne encore.
(Mon père apprit ce matin que cent Basques allaient
y être exécutés d'un jour à l'autre...) Cette Espagne
que la plupart de ces autres réfugiés ne retrouve-
raient peut-être jamais...

La scène n'avait pas duré une minute...

Nous étions rentrés dans la petite salle, Gide et
moi, encore émus par ce départ si triste, si beau,
auquel nous avions assisté. Gide avait pris le nom et
les adresses de nos amis. Je sentais qu'il s'attachait
tellement à eux que l'idée lui était intolérable de les

quitter à jamais. Il s'attardait. Il ne put s'arracher qu'après avoir promis de revenir avant son départ.

Magnifique soirée où nous profitons de la fraîcheur. Gide et moi faisons brûler un peu de fleur de soufre que la machine a perdue près des vignes : l'expérience nous passionne, et mon père s'ennuie; l'intérêt enfantin que nous portons au bouillonnement de l'acide sulfurique, au dégagement de l'acide sulfureux lui échappe. Il piaffe comme un cheval au piquet. Nous le suivons dans l'allée des jeunes cyprès. De sa haute taille, mon père dépasse la ligne de l'horizon; son visage se profile sur le ciel; tandis que Gide, plus petit, découpe sa silhouette sombre sur le paysage où les vapeurs du soir s'étendent. Il récite du Vigny, et mon père l'accompagne :

Aimons ce que jamais on ne verra deux fois...

Il récite du Rimbaud et, pour une fois, ma mémoire, fidèle, me permet de mêler à sa voix ma voix :

Mais vrai j'ai trop pleuré, les aubes sont navrantes
L'âcre amour m'a gonflé de torpeurs enivrantes...

Puis, à la maison, mon père lit des fragments de Péguy. Je suis un peu déçu : cette *Note Conjointe* m'avait tellement ébloui... Je n'y retrouve pas l'émotion d'autrefois. Gide lit ensuite une des nouvelles des *Scènes de la Vie Parisienne : Profil de marquise* (ou *Autre étude de femme*). « Je n'aime pas quand Balzac veut faire le gracieux, dit mon père. Son badinage est alors d'un lourd ! » Ce fut tout de même beau. Gide mimait; il lisait avec infiniment d'esprit; il ajoutait toute sa légèreté à ce qui avait peut-être un peu trop d'épaisseur, en effet. Et puis, nous avions tant parlé aujourd'hui de Balzac et des joies que tous les trois nous lui avions dues, qu'il était bon d'en faire une lecture à haute voix, même celle d'un passage relativement mauvais.

Samedi, 8 juillet 1939.

Gide me fait dactylographier en trois exemplaires une lettre pour un journal belge qui le critique à propos du *Montaigne* qui vient de paraître sous sa signature : il en désavoue presque totalement la responsabilité.

Matinée, déjeuner, café : aisance, simplicité de nos rapports à tous les trois. Les silences sont nombreux mais aucune gêne ne s'y mêle. La conversation est facile, reposante, sans prétention, agréable.

6 h. Moi (à ma fenêtre). — Gide est parti ?

Mon père (dans la cour). — Oui, je l'ai accompagné jusqu'à la terrasse. Nous y avons vu deux couleuvres dont une immense. Il était ravi... Puis il s'est éloigné : il a dévalé le chemin comme un vieux faune...

Nous avions bien senti l'un et l'autre qu'il ne fallait pas l'accompagner. Un numéro de *La Révolution Prolétarienne* où se trouve relatée la fin de la guerre d'Espagne, et qu'il veut faire lire à nos amis espagnols lui a servi de prétexte. Le camp des réfugiés l'attire, c'est visible. (L'autre jour déjà, il était parti seul, pour Verdelais — mais il ne sut pas retrouver le chemin.) Je le soupçonne fort d'être intéressé surtout par les petits garçons noirauds et rieurs qui, devant le camp, jouent à la pelote, dans la poussière de la route...

Mon père (à Gide). — Votre *Journal* au point où j'en suis, me donne le cafard... Ces années 1910-1912 où vous voyez tant de gens intéressants, à quoi les ai-je employées, moi qui me trouvais aussi à Paris ?... Il est vrai que je n'avais aucune raison de rencontrer vos grands amis d'alors... Mais comme Claude a de la chance, lui ! Quelle jeunesse il a...

Et, s'adressant à moi :

— Dans ta vie passionnante, dans cette possibilité qui t'est donnée de voir, à ton âge, les hommes les plus intéressants de ton époque, il y a peut-être un germe stérilisant...

Gide acquiesce. Mon père dit que, sans doute, pour qu'il pût être un créateur, il fallait qu'il eût la jeunesse qui fut la sienne... Moi je suis hanté par ce mot *stérilisant* qu'il a proféré sans y attacher d'importance, mais qui me brûle...

Cependant, Gide s'en est allé.

— Ce qui l'a sauvé, son journal en témoigne, me dit alors mon père, c'est ce magnifique appétit du travail qui a fait de lui, et dans tant de domaines, un homme si cultivé. La littérature, la musique, les langues étrangères, il s'y est appliqué avec tant de fougue, de méthode et de courage, qu'une sorte de rectitude morale, de rigueur a conduit sa vie. Il a échappé à toutes les déchéances dont il était menacé

grâce à ce merveilleux goût de l'étude, de la connaissance, de la perfection.

— Me frappent aussi, continue mon père, son
étonnante inconscience, sa naïveté : jamais il n'a
vraiment « réalisé » ce qu'il pouvait être pour sa
femme et ses parents (en particulier pour le pauvre
D. dont il parle avec une si curieuse ignorance). Il
est arrivé à se persuader que son cas, véritablement,
ne présente que peu d'importance. Ce qu'il provo-
quait chez les siens de gêne et de souffrance, il ne le
sent jamais que très insuffisamment...

Gide revint tout joyeux de sa longue promenade.
La marche avait réveillé en lui une sorte de bien-
être (cela du moins m'apparut...). Après dîner, mon
père lut à haute voix des passages de *La Messe
là-bas*. Ils chantèrent, lui et Gide, la gloire de
Claudel. (...)

Gide, avant d'aller se coucher, a été faire un tour
de jardin. Il réapparaît dans l'embrasure de la
fenêtre. Sur le fond de nuit, chacun de ses traits, le
moindre de ses gestes prennent du relief. Il me
semble le voir pour la première fois et je m'étonne
à neuf qu'il soit là. Il s'accoude avec une grâce négli-
gée; sa figure rajeunie est de nouveau celle de son
passé. La nonchalance de son attitude, cet abandon plein d'élégance, d'harmonie, sont d'une autre
époque. Je le regarde de tous mes yeux avant qu'il
soit trop tard. Je ne le voyais plus, depuis quelques
jours, dans la suite habituelle des heures, j'oubliais
qui il était, ce qu'il était. (Heureusement ! Rien n'était

plus exténuant que ce perpétuel qui-vive des premiers jours.) Voici qu'il m'apparaît une fois encore avec son visage de légende, et dans cette pose alanguie qui ne sera jamais qu'à lui. Il est là, souriant, jeune, présent, comme dans le souvenir que je garderai de cette soirée.

La scène n'a pas duré une demi-minute. Il est allé se coucher. « Comme il était triste, ce soir, murmure mon père. Il a des remords, c'est certain... Face à face avec la mort, il pense à ce qu'il fut. Oui, il a des remords... C'est dur de vieillir... » Et je pense : non pas des remords, des regrets. Oui, il est face à face avec le proche néant. Nous l'entourons ici d'amitié et de prévenance, mais il y a cette part de lui-même pour laquelle nous ne pouvons rien et qui se sent mourir. Je l'imagine soudain. Il est dans son lit. Il pense à notre gentillesse mais à tout ce qu'elle cache d'indifférence profonde. Mon cœur a ses soucis et qui ne sont pas les soucis de son cœur. Je m'inquiète de sa santé, le matin, mais je ne pleurerai pas en apprenant sa mort. Il est seul. Qui l'aime vraiment ? Qui donc interpose entre la mort et lui un peu de tendresse vraie ? Il entend le bruit des volets que l'on tire. Sait-il qu'avant de me coucher, et de fermer ainsi les contrevents, je suis resté accoudé à la fenêtre de ma chambre ? La nuit appartenait aux étoiles et au vent. Un vent léger qui faisait bruire les feuillages, un vent chargé de toutes les odeurs de la terre, et de toute la solitude du ciel... Ce monde interdit où il serait possible de participer aux jeux de la nuit ; où c'en serait fini de cet envieux regard, de cette attente, j'y pense avec déchirement.

Les larmes que j'ai prêtées à Gide, je suis proche de les verser moi-même. Il ne s'agit pas de son âge ni du mien. Il n'y a pas d'âge devant l'éternité.

Dimanche, 9 juillet 1939.

Gide m'appelle dans sa chambre. Après m'avoir lu une lettre de notre ami André Dubois, il me fait part d'une idée... démoniaque qui lui est venue : faire participer Claudel, malgré lui, à la souscription ouverte pour les intellectuels espagnols réfugiés — et cela en vendant le manuscrit que lui-même, Claudel, donna autrefois à Gide (et qui vaut plus de 20.000 francs). Il me lit le début de l'article qu'il vient d'écrire : « Je me frotte les mains. Je viens de jouer un bon tour à Paul Claudel... »

Mon père entre. Gide recommence sa lecture avec le même ton ravi... « Bravo pour la vente du manuscrit... Mais l'article... hum ! Je vous en laisse la responsabilité... » Mon père me dira lorsque nous serons seuls : « Il y a de sa part beaucoup d'inconscience, à vouloir faire ainsi la leçon à Claudel... »

Messe de 10 h. 30 à Z. avec mon père, qui se félicite de ne pas y avoir emmené Gide comme il se l'était d'abord proposé; lequel avoue qu'il avait failli, de son côté, nous demander de venir.

— Le démon avait tout préparé pour vous, dit mon père en riant : deux sermons abjects de bêtise, le *Clair de lune* de Massenet joué pendant la consécration. Tout ce qui pouvait vous faire le plus horreur.

J'étais exaspéré. Ah ! ce qu'ils arrivent à faire de cette merveille : la messe.

Mon père, visiblement, cherche à bien séparer dans l'esprit de Gide la foi de ce que les hommes en font. Il se refuse de compromettre le Christ avec la faiblesse ou la lâcheté humaine.

Oncle Jean déjeune. Beaucoup plus simple — et même très simple. Gide doit trouver que la famille Mauriac n'est pas bien sectaire. Notre largeur d'esprit, ou plutôt celle de mon oncle l'abbé, celle de mon père, ne peuvent que le surprendre agréablement. Conversations intéressantes sur l'Espagne franquiste, l'*Action Française*, le Guépéou, etc... Gide raconte que, déjeunant avec Rivet chez Blum, alors que celui-ci était Président du Conseil, il se vit, le soir même, répéter mot pour mot la conversation qu'ils avaient eue, par son ami H. qui était encore membre du parti communiste. Il a depuis acquis la certitude, et il en parla dernièrement avec Blum qui se rangea à ses raisons, qu'un micro avait été dissimulé par les communistes, dans la cheminée, et que le Président du Conseil ne pouvait rien dire sans que le parti communiste en fût aussitôt averti.

Ceci me rappelle ce que me disait l'autre jour Davray et que lui avait appris un parent de Léon Blum : telle était la garde que ses amis montaient à ses côtés, lorsqu'il était au pouvoir, que son frère lui-même n'arrivait pas à le joindre. Il le voyait commettre des bêtises; il voulait l'avertir, lui crier casse-cou ! Mais mille barrages s'interposaient entre son frère et lui... Un jour, longtemps après, il réussit enfin à déjeuner avec lui. Il lui fit part de certains

faits particulièrement graves. Blum s'écria avec
stupeur : « Es-tu sûr de ce que tu dis ? » Et son frère
d'éclater d'un rire amer : « C'est toi qui es Président
du Conseil... Et tu es seul à l'ignorer... »

Voilà ce que c'est, le pouvoir.

Et je pense à cette autre image de Blum qui me fut
donnée par D... l'autre jour. Ce dernier était sous-
préfet dans cette ville du Nord qu'agitait depuis
longtemps déjà une grève à laquelle on cherchait
vainement une solution. Il me dépeignit Blum,
complètement affolé, à bout de nerfs, gémissant :
« Mais ces patrons n'ont donc pas de cœur. Que veu-
lent-ils donc que je fasse ?... Que j'aille me jeter à
leurs genoux ? Je le ferais si cela pouvait servir à les
calmer ! Je ferais n'importe quoi... Mais quoi ?
Quoi ? Ce sont donc des monstres ? Ils n'ont donc
pas de cœur ?... »

(Et D. de me montrer aussi Salengro, ministre de
l'Intérieur, s'enfermant dans son bureau, après avoir
exigé que personne ne vienne le déranger, se postant
devant lui, très pâle, et balbutiant : « *D'homme
à homme, D., est-ce que vous croyez, vous, que j'aie
déserté comme* Gringoire *m'en accuse ?* » C'était quelques jours avant son suicide. Voilà ce que c'est, le
pouvoir...)

Mes oncles Raymond et Pierre viennent goûter,
comme convenu. Les quatre frères Karamazoff
réunis autour de Gide... A propos de l'affaire
Claudel-Maritain, et de l'article de Guillemin, Gide,
mon père et moi scandalisons beaucoup nos hôtes,
surtout oncle Pierre, dont le beau visage d'abord
animé d'une ironique attention, s'assombrit. Il a

visiblement décidé de ne pas s'abandonner à sa
passion politique : aussi supporte-t-il la nôtre, elle-
même fort maîtrisée, avec d'indulgents sourires.
Mais on le sent parfois près d'éclater tant il est scan-
dalisé. Nous frôlons, avec un peu de sadisme, les
plus brûlants sujets, tout en gardant prudemment
une certaine réserve, c'est-à-dire que nous parlons
de Franco, mais non de *L'Action Française*. Chacun
y ayant mis du sien, la conversation fut d'une
agréable insignifiance. La réunion des frères Mauriac
pour Gide, la présence de Gide pour les frères
Mauriac étaient du reste de suffisantes attractions.

Nous allâmes tous les trois à Saint-Macaire après
le départ de mes oncles. Une lumière giorgionesque
transfigurait les vieilles rues aux pierres fauves;
l'église romane; la vallée de la Garonne, telle que
nous la voyions du haut des remparts sous le frémis-
sement argenté des aubiers; le bal populaire où nous
nous arrêtâmes, en bas des murs. Là dansaient avec
une joie acharnée des jeunes gens que de nombreux
cars avaient amenés de Bordeaux. C'étaient (une
banderole nous l'apprenait) les petits commerçants de
la ville qui fêtaient leur association. En haut des
remparts et au faîte d'une tour, des garçons se
pourchassaient avec de grands gestes; l'orchestre se
démenait, faisant sauter ces filles heureuses, rouges
de plaisir et de chaleur — ces garçons fanfarons à
l'accent chantant... Gide, dans cette fête, semblait à
son aise — et mon père. Nous étions sensibles surtout à cette lumière dorée, à cette paisible jeunesse
du monde. La calme Garonne entre ses calmes rives
faisait un grand arc embrumé de soleil. « Être

peintre, murmurait mon père... Immobiliser cette
merveille... » Entre les saules, la foule répandue
apportait sa joie. Les autocars eux-mêmes avec leurs
bruyants conducteurs hilares, n'étaient d'aucune
gêne...

Après dîner je lis à haute voix certains passages
de mon journal.

Lundi, 10 juillet 1939.

Gide écrit devant moi le texte de la dépêche qui
annonce à Madame de Lestrange l'imminence de
notre arrivée à Chitré. Après bien des hésitations,
mon père et moi avons fini en effet par accepter cette
invitation. Je m'en réjouis car Gide restera ainsi
plus longtemps avec nous. Je m'attache si terriblement à lui, quoi que j'aie pu penser, dire, écrire à
ce sujet, que l'idée de le quitter me tourmente...

André Gide me parle avec tant de reconnaissance
et d'émotion de ma lecture d'hier soir que je l'em-
mène dans ma chambre où je lui lis mon journal de
M. afin qu'il ait, de l'abbé Jacques L., une image
plus vraie que celle qu'il put s'en faire hier. Je lui lis
aussi les graves journées des 25 et 26 septembre 1938.
Lorsque je ferme mon cahier, il est en larmes. Il ne
peut que me mettre la main sur l'épaule et fuir... Le
déjeuner sonne, quelques minutes après, et il y
paraît, le visage rasséréné.

J'ai été touché par l'attention et l'intérêt qu'il
prit à cette lecture. Il était là, dans le grand fauteuil
à housse jaune, devant la petite table... Des mono-

177

syllabes étouffés où il disait son approbation, son émotion, ponctuaient ma lecture. Je lui découvrais certains aspects très intimes de ma vie, et il pleurait. Pourrais-je jamais oublier cela ?

Je lui ai dit :

— Nous commençons vraiment à nous parler au moment de nous quitter...

Mais il a répondu :

— Nous ne nous quitterons plus, Claude, maintenant je le sais, je le sens...

Et il parla d'un possible séjour que je pourrais faire à Cuverville. Puis il me félicita et avec quelle complice sympathie, lorsque je lui eus dit : « Rien ne m'apparaît plus étrange que l'ambition matérielle... Se crever de travail, négliger toute possibilité de culture, et surtout d'approche directe, vivante du réel, pour être mis dès soixante ans à la retraite... La vie est si courte que les honneurs et la considération que l'on y peut acquérir me semblent de peu de prix. Non que je ne sois ambitieux. Mais mon ambition vise plus haut qu'un poste d'ambassadeur ou de professeur de droit... »

Il me donna raison, non sans chaleur, disant :

— On m'admire, parfois, de renoncer à tel ou tel profit. Mais c'est que je n'en ai pas envie ! Que je n'en voudrais à aucun prix. Que je n'en ai pas besoin...

Il fut très frappé par ce que mon journal et les commentaires dont je l'accompagnais lui apprirent sur l'abbé J. L.

— Quel âge a-t-il ?

— Vingt-sept ans, je crois...

— Vingt-sept ans !

Ce fut un cri d'angoisse. Vingt-sept ans et se priver ainsi de la vie. Renoncer, à vingt-sept ans, à ce qui lui paraît, à soixante-dix, si adorable, toujours...

Je dis : « Même si J. L. se trompe, même si son Dieu n'existe pas, il n'aura pas souffert en vain. Une telle vie d'amour et de sacrifice s'accompagne de tant de beauté que la grandeur humaine s'en trouve accrue... » Gide ne dit pas non. Il murmure : « Je vous comprends mieux, Claude, maintenant. Je découvre les drames parmi lesquels votre vie se meut... Je comprends mieux, oui... »

Il n'y a plus entre nous de différence d'âge, ni de valeur. Nous sommes deux amis, deux frères. Notre conversation ne s'embarrasse plus de la moindre gêne. Au-delà de la politesse et de la littérature, nous laissons s'épancher nos cœurs...

Après déjeuner, je dactylographie pour Gide une lettre à propos d'un réfugié allemand. J'écris mon journal, puis mon père me dicte trois articles et une lettre.

Gide s'exténue à vouloir fermer sa malle : mais les serrures sont forcées. Je le regarde avec étonnement. Il bougonne sans arrêt : « C'est grotesque. » Accroupi, il fait d'inutiles efforts et les veines se gonflent sur son crâne rouge. Qu'André Gide puisse être *aussi* un vieux monsieur qui s'énerve devant une valise détraquée, cela, dans ma naïveté, je ne l'avais même pas imaginé...

A la fin de la journée, il vient avec une gentillesse timide et un doux sourire solliciter une nouvelle lecture. Je lui lis, au jour le jour, la fin août et le début septembre 1938. Ce n'est point passionnant, et pourtant, cela visiblement le passionne. La cloche du dîner nous interrompt, à notre grand regret à tous deux...

Soirée : lecture de passages du *Pompée* de Corneille par mon père, et d'un bref morceau de *Psyché* par Gide. Après le départ de Gide qui est allé se coucher, mon père dit : « Je viens de lire les passages de son *Journal*, de 1917, où on le voit mourir d'amour pour M. Quels cris — et souvent magnifiques ! Et quel courage de publier cela... C'est un homme dont la nature ne supporte pas le mensonge. Il tient à ce que rien de lui ne soit caché. Cette exigence, il faut bien l'avouer, lui redonne une sorte de virginité miraculeuse, de pureté... »

III

CHITRÉ

Mardi, 11 juillet 1939.

Départ de Malagar à 9 heures. Je suis au volant; Gide est près de moi; mon père, derrière. Arrêt à Blasimon où nous attire la jonchée d'un mariage, hélas ! introuvable. Je revois donc Gide pour la seconde fois devant la vieille abbaye, sous ces arbres dont le mystère est un peu celui d'Olympie. Nouvelle halte à Castillon où nous visitons une jolie église du XVIIe. Le paysage est plaisant. Gide se déclare enchanté, disant n'aimer rien de plus que de tels voyages.

Montaigne... J'attendais beaucoup de ce pèlerinage en compagnie de Gide et de mon père. Et, certes, nous visitâmes avec piété la tour; et nous demeurâmes longtemps dans « la librairie », attentifs, discrets, pleins d'une ferveur silencieuse. Je regardais Gide : il épelait les inscriptions latines gravées sur les vieilles poutres; il relevait le texte d'une page écrite par Montaigne au sujet de La Boétie — et mon père rêvait... En eux comme en moi, sans

doute, la même déception. Montaigne vivait en
mon cœur; je le voyais et je voyais sa tour — et je
l'imaginais, odorante, confortable, tiède et lourde
de présences comme une maison habitée. Ici, dans
les lieux même où il a vécu, je ne retrouve pas sa
trace. Ces chambres désertées aux pierres disjointes,
aux murs couverts de stupides graffiti (le contact
de Montaigne lui-même ne décourage pas la bêtise
des touristes), sont plus mortes que la mort. Leurs
carrelages ont porté Montaigne mais n'ont su en
garder nulle empreinte. La petite cour, en bas, est
telle qu'il la connaissait; derrière l'horrible château
fort reconstruit de fraîche date, la terrasse ancienne
et l'immense vue boisée semblables à ce qu'elles
devaient être... Rien pourtant ne se déclenche en
moi, aucune émotion. Cela seulement m'amuse de
voir André Gide dans ces lieux où il n'est jamais
venu et dont mon père dit en riant qu'ils représentent son Lourdes à lui.

Nous roulons le reste de la matinée et, après
avoir traversé Périgueux, nous arrêtons à Brantôme
pour déjeuner. Autre endroit illustre, mais dont nous
n'avons vraiment le temps d'apprécier que le meilleur restaurant. Le vieil hôtel C... nous reçoit et sur
le balcon qui domine la rivière nous dégustons
pâté de foie gras, pâté de lièvre, omelettes aux truffes,
poulet et cèpes. L'hôtesse repère papa et, folle
d'orgueil, fait étalage avec une obstination lassante
et un goût affligeant des grandeurs de toutes les
célébrités qui, à l'exemple de François Mauriac, se
sont arrêtées chez elle. Elle sort ses carnets « d'auto-
crates » et, de Sarah Bernhardt au maréchal Pétain se

gargarise de noms illustres. Gide ne dit rien. C'est mon père qui attire sur lui l'attention de notre bavarde hôtesse. Il se trouve à sa table un homme autrement important que lui ; autrement glorieux aussi et qui, bien plus qu'il ne le fait, presque autant que le maréchal Pétain (pas tout à fait, mais presque autant !) honore sa maison. Bref, il y a là André Gide. Qui ? Gide. André Gide.

— Monsieur écrit aussi, peut-être ?

— Oui, fait Gide dans un humble sourire.

— Pourrait-il me dire dans quel journal ?

— A *La Flèche*, répond-il avec le plus grand sérieux.

— Vous dites Gyps ? Oui, j'ai déjà entendu ce nom-là.

Comme elle avait de grandes prétentions, elle revint plusieurs fois à la charge, dans l'espérance de racheter le mauvais effet qu'avait pu causer son ignorance et de s'instruire. André Gide lui répondit toujours avec la même affabilité souriante. Et mon père, paraphrasant le Livre saint s'écria : « Malheur à celle qui n'a pas su quand elle était visitée... »

Tout l'après-midi au volant, avec, auprès de moi, Gide silencieux, mais non pas assoupi et même attentif au moindre aspect pittoresque de la route. Angoulême, Poitiers, et bientôt Vouneuil-sur-Vienne avec, là-bas, l'imposante masse blanche du château de Chitré... La vicomtesse de Lestrange nous y accueille aimablement. Elle vit seule ici aux côtés du petit Michel et de son institutrice, Miss Adams. Vastes pièces, avec une profusion de têtes de cerfs, d'oiseaux empaillés, de meubles massifs, de bibelots. Un somptueux mais triste paysage que l'on voit de loin, car le bâtiment surélevé est défendu de la campagne, et même du parc, comme si l'en séparait un important fossé. Les fenêtres, trop haut placées, empêchent de bien voir le jardin. Tout est, semble-t-il, conçu ici pour la mélancolie. On a dressé la minuscule table du dîner dans un coin d'une salle gigantesque, et le maître d'hôtel apparaît, tout petit, à l'autre bout. Le silence recouvre les timides essais de conversation. Je songe à la verve de Gide. Il ne l'a pas encore retrouvée ici : chacune de ses phrases ce soir est insignifiante. C'est à son tour, comme ce fut le nôtre aux premiers jours de Malagar, où nous ne savions pas encore s'il se plairait auprès de nous, de se faire du souci.

Avant de gagner le hall immense de ma chambre, j'ai accompagné Gide dans la sienne. Son lit à baldaquin, les petites poutres du plafond... Mais c'était là la vraie chambre de Montaigne, autrement ressemblante que celle de ce matin ! Nous rions comme des gosses à propos de tout et de rien.

Chitré, mercredi, 12 juillet 1939.

Un chien qui hurlait à la lune empêcha mon père de dormir. « Quelle solitude, dit-il. Comment fait Gide pour la supporter ? Pas le moindre petit berger à l'horizon... »

Déjeuner au bistrot, à Vouneuil (car la plupart des domestiques de Madame de L. sont absents). Journée passée à réparer l'auto (roue à changer mais il y a des ennuis qui me retardent considérablement). Promenade en voiture jusqu'à une église romane des environs (Chauvigny), dont j'admire, en compagnie de Gide, les chapiteaux. De retour à Chitré, je lis à Gide, sur sa demande, la suite de mon journal de septembre 1938. (Il avait insisté, hier matin, pour que je l'emporte, avec d'autres, en prévision de désirables lectures...) Il est proche des larmes un moment. Mais je suis gêné par la monotonie de ma lecture. Que de faiblesses livrent ces pages ! Un peu inquiet aussi de ce que Gide peut en penser vraiment, mise à part son émotivité, dont les manifestations ne signifient rien quant à la valeur profonde de mon témoignage.

Après dîner, Gide et Madame de Lestrange finissent une partie d'échecs. Puis Gide, relayé par mon père, lit à haute voix des lettres de Madame de Sévigné. (Comme les évocations de ces sociétés mortes me frappent péniblement...)

Jeudi, 13 juillet 1939.

(...) J'ACHÈVE de me raser lorsque Gide, timidement, me demande l'hospitalité. A propos de mon journal, Gide parle avec difficulté, comme aux moments d'abandon, sur ce ton gêné, hésitant, où couve tant d'émotion.

— Je comprends, me dit-il, quelle place un être comme votre ami l'abbé L... tient dans votre vie. Il la mérite. Mais je me pose avec angoisse cette question : n'est-il possible d'atteindre une certaine grandeur qu'au prix d'une imposture qui blesse la raison ?

— Mais pour l'abbé L... la foi est une question de fait, m'écriai-je : sa raison y trouve satisfaction tout autant que son cœur. Et s'il se trompe, si la foi est dans l'absolu sans fondement, il reste cette beauté de sa vie...

— Voilà précisément où je m'inquiète. Est-ce qu'il ne peut y avoir dignité et beauté *sans* cette tromperie ? Car vous savez, Claude, je ne suis *même plus* inquiet. J'ai la certitude qu'il n'y a rien de plus incohérent que l'idée que nous nous faisons de Dieu, que Dieu n'existe pas, ni l'éternité.

— Il est vrai peut-être, hélas ! Et le plus grave est que je ne vois pas ce qui me rendrait digne de l'éternité. Je ne mérite pas cela...

— Bien plus, interrompt Gide : je n'en ai quant à moi nul désir. Plus je vieillis, plus je trouve qu'il est bon de mourir. Je suis de moins en moins exigeant. Je ne me révolte plus... Non ! La conception chrétienne est absurde. Absurde... Je n'y peux adhérer et l'idée de récompense, tout autant que celle d'éternité me révolte. La vie éternelle, cela ne correspond à rien dans mon esprit. Je vois cette vie-ci, avec son cortège de misères qu'il faut secourir. Et si je fais la charité, ce n'est pas dans l'espoir d'une récompense, mais parce que j'en éprouve la nécessité. Je pense alors à la vie de votre ami L..., que je ne puis m'empêcher d'admirer, naturellement. Et je me demande avec tristesse : n'est-il pas possible à l'homme d'atteindre la grandeur sans ce subterfuge ? Oui, je sais, pour un L... il n'y a pas de subterfuge. Mais je sais aussi, moi, qu'il se trompe.

— Qu'en savez-vous ? Si c'est lui et non vous qui se trouve dans le vrai, c'est à vous (et à moi aussi, hélas !) que revient le nom d'aveugles. En cette hypothèse, la Grâce, à l'un et à l'autre nous fait défaut.

— Je ne conçois pas cela. *Tout* en moi se refuse à la foi. On me dit que je me révolte par orgueil. Quelle pauvreté ! Qu'aurait à faire l'orgueil entre l'homme et Dieu ? Je ne suis pas si bête, tout de même, ni si présomptueux. Pourquoi ne pas comprendre que c'est par *honnêteté* que je suis incroyant ? Et je ne puis m'empêcher de déplorer qu'il soit nécessaire aux meilleurs de s'aider d'une illusion pour grandir plus encore. N'est-il pas de dignité possible hors de la religion chrétienne et de ce qu'elle comporte de refus, de sacrifice inhumains ? J'y reviens toujours parce que cela me tient à cœur. Pourquoi est-il indispensable qu'un L... sacrifie sa chair, l'humilie ?

— Peut-être parce qu'il faut être fort, physiquement et, dans un sens aussi, moralement, pour choisir le mal, pour s'abandonner sans déchéance à ses instincts...

Il ne répond rien. Mais je sens qu'il pense :

— Justement, il y a aussi les êtres forts...

Le silence se prolonge un peu, puis je dis :

— Toute l'antiquité témoigne en faveur de votre conception d'une grandeur humaine compatible avec la « raison ». D'une paix que l'idée du néant n'atteint pas. D'une acceptation sereine du désespoir...

Mais je pense : « Ses inquiétudes sont les miennes... Serait-il possible qu'à soixante-dix ans, au terme d'une vie d'étude, de méditation et d'enrichissantes expériences, j'en arrive aussi à ce résultat ? De vingt à soixante-dix ans, aucun pas en avant... Cela est-il possible ?... »

Tout le reste de la matinée a été consacré à une nouvelle lecture de mon journal (le voyage tchécoslovaque). Je ne démêle pas bien les raisons qui incitent Gide à porter à ces pages tant d'attention. Y trouve-t-il un intérêt humain, ou même littéraire ? Ce serait bien. Mais je crains que la seule curiosité ne le guide de savoir exactement qui je suis, qui sont mes amis, et quel visage j'offre à la vie. Ne voyant plus alors que les faiblesses de mon journal et ses mille complaisances, je me sens de plus en plus gêné vis-à-vis de cette inquiétante attention. Gide me dit ceci qui me frappe beaucoup : « Ce n'est pas seulement la paresse qui m'a empêché de tenir régulièrement mon journal : j'ai souvent éprouvé aussi la nécessité de m'oublier... Garder comme vous le faites votre regard constamment attaché sur vous-même est *dangereux, desséchant...* » (...)

(...) Nous passons la fin de la journée à Poitiers où Gide m'entraîne de rue en rue à la recherche de son vieil ami Jehl que nous ne trouvons du reste pas. Puis nous rejoignons Madame de Lestrange et mon père avec qui nous visitons de belles églises (Sainte-Radegonde et surtout Saint-Hilaire...). Gide, qui a peur de prendre froid s'aventure sous les voûtes fraîches d'un pas prudent — et fuit...

Revenus à Chitré, André Gide me demande une lecture... Lassé de mon pauvre journal, je prends celui de J. L. ou plutôt les extraits qu'il m'en a

envoyés et que j'ai reçus au moment même de quitter
Malagar, l'autre matin. Je choisis ces cris de fatigue,
de désespoir et de joie de sa vingt-sixième année. Je
lis de mon mieux, et Gide écoute avec ferveur
(Tous ces journaux intimes, c'est un peu ridicule,
mais Gide ne songe pas à sourire...) Il murmure,
comme ce matin :

— Je comprends la place que tient Jacques L...
dans votre vie... Je la comprends de mieux en
mieux...

— Ce n'est pas de la littérature ce journal...

— Mais le vôtre non plus, Claude... Ces deux
témoignages s'éclairent l'un l'autre...

— Ma vie est si pauvre au regard de la sienne !
Je n'avais jamais lu à la suite, comme avec vous,
ces jours-ci, de si longs passages de mon propre
journal. Me frappe surtout sa monotonie et qui
vient seulement de la monotonie de mon existence...
Ce qu'il me faudrait c'est une rencontre. La rencontre d'un garçon aussi noble et courageux que
Jacques mais qui m'entraînerait dans une voie où je
pourrais le suivre. Une voie dangereuse, certes,
enrichissante, mais qui serait à ma mesure. Je ne
puis aller à la suite de Jacques, puisque je ne connais
pas son Dieu... Il me faudrait une sorte de Rimbaud,
que je puisse accompagner au bout du monde... Si
vous connaissez cet entraîneur, faites-le-moi rencontrer, j'en ai si besoin ! J'étouffe, vous savez. Il est
temps encore, mais il n'est que temps de me délivrer
de l'embourgeoisement confortable et sommeillant
de ma vie. Seul, je n'aurai pas le courage de tenter
l'évasion... M'arrête surtout un total manque d'ima-

gination auquel ma lâcheté et ma paresse trouvent du reste leur compte. Que faire ? Où aller ? Qu'on me donne des idées ! Qu'un être surgisse que je puisse aimer, admirer et je suis sauvé...

Le temps pressait. Il fallait se séparer pour aller en hâte se changer (car le charmant laisser-aller des dîners de Malagar n'est pas de mise ici). Gide, visiblement ému, me prit les mains, les serra. Et je m'enfuis.

Après avoir terminé sa partie d'échecs, Gide nous lut, dans la soirée, un bref conte de Voltaire et qu'il avait choisi sans doute parce qu'il témoignait en faveur de notre conversation de ce matin sur l'impossibilité de la foi : *Le Bon Bramin*. Puis il prit un livre de Saint-Exupéry, qui est le cousin de Madame de Lestrange, *Terre des Hommes*, et nous en lut le beau passage que je connaissais déjà : celui où l'on voit Guillaumet, tombé dans les Andes, vaincre le froid, la faim et le désespoir, et sauver sa vie — au prix de quel effort : « Ce que j'ai fait là, aucune bête, je te le jure, ne l'aurait fait. »

Entre Gide et moi, aujourd'hui, pour la première fois peut-être, nulle littérature ne s'interposa. Il n'était pas un homme célèbre. Je n'étais pas un jeune homme. Nous étions *deux hommes*, tout court, et deux hommes qui se comprenaient...

Curieux, de lire cinquante ans d'un *Journal* dont on a, tout le long du jour, l'auteur près de soi. Mon père et moi ne sortons de la lecture de Gide que pour parler avec Gide...

Vendredi, 14 juillet 1939.

J'achevais, ce matin, de rédiger mon journal d'hier lorsqu'André Gide a fait une timide entrée.

— Je vous rapporte le journal de votre ami... Je l'ai lu hier soir d'un bout à l'autre... Avec bien de l'intérêt, vous le pensez... et de l'émotion...

Il s'installe à contre-jour, sur un large fauteuil. Il dit :

— Ce que vous m'avez avoué hier de la nécessité où vous êtes de trouver un *entraîneur* m'a beaucoup frappé. Je crois assez dangereux pour vous de douter ainsi de vous...

C. M. — Je me connais, vous savez ! Je sais ce que je suis capable de faire, et surtout de ne pas faire, à moins d'y être forcé par l'événement...

A. G. — Votre excès d'humilité est grave... Mais je vous comprends lorsque vous parlez de l'*entraîneur*, en ce sens que l'amitié a joué dans ma vie un rôle prépondérant, et que chacune des *embardées* que j'ai effectuées dans un sens ou dans l'autre vint du besoin de suivre un ami, de me rendre digne de lui... Dans ma tentative vers le communisme j'étais en grande partie mené par le désir de ne pas décevoir des êtres que j'admirais. Jef Last, très particulièrement qui, du moment même où je l'aperçus, dans une réunion publique, me devint si extraordinairement sympathique... Quel garçon étonnant ! Son rayonnement n'est pas si différent de celui de votre ami, bien qu'il soit athée... Quel dévouement ! Quelle flamme ! Quelle générosité ! Il n'a jamais le sou, bien qu'il ait en Hollande d'immenses succès de librairie, parce qu'il a toujours, autour de lui, des camarades sans feu ni gîte qu'il loge et nourrit... Il a fait tous les métiers. Il sait toutes les langues. Un jour, alors que je l'emmenais en voyage pour essayer de le distraire, nous traversions les Pyrénées et il s'émerveillait de la moindre cascade, de la beauté des cimes neigeuses. J'étais stupéfait. Marin, n'avait-il pas fait plusieurs fois le tour du monde ? « Certes, me répondit-il... Mais, à fond de cale, et avec défense de débarquer aux escales... »

C. M. — Est-ce que cela ne vous manque pas, d'avoir été privé de l'expérience difficile d'un Jef Last ?...

A. G. — J'en ai souffert... J'ai même essayé d'échapper à cette gêne ! Hélas ! A quoi sert de tricher ! A quoi sert de ne pas dépenser de l'argent si l'on a de l'argent ? Rien n'empêchera des gens comme nous d'être toujours *préservés*. Il y a un filet pour nous. Vouloir l'oublier est ridicule...

C. M. — Mais il n'y a plus de filet si, comme Jef Last, encore, on s'enrôle dans les Brigades Internationales, je veux dire, si l'on accepte le risque de mort...

A. G. — Il est vrai. Mais là encore que d'abus ! Il y a des circonstances où il est plus difficile de vivre que de mourir. Ce fut l'occasion d'une vive discussion entre mon ami le R. P. Doncœur et moi. Le Père Doncœur, homme rayonnant lui aussi, et que j'aime, que j'admire beaucoup. Dans l'un de ses livres — que j'avais trouvé sur la table de ma femme (Dieu seul sait comment il y était venu !)

il parlait de la déception qu'avait causée l'armistice à des jeunes gens prêts à partir pour le front. « Quelle belle occasion de mourir perdue ! »

C. M. — Ils sont nombreux comme cela. Rappelez-vous les dernières lignes du journal de Jacques à propos de Munich : il employait aussi le mot de *déception*...

A. G. — Ce sont elles précisément qui m'ont fait penser au R. P. Doncœur.

C. M. — Mais il y a là une raison d'ordre religieux. Tandis que les jeunes gens dont vous parliez, semblables en cela à l'immense majorité des Français, et très particulièrement des jeunes bourgeois français, à qui on doit au moins accorder cela : ce courage héroïque devant la mort (ils l'ont prouvé en 1914) voyaient dans la guerre, non pas une occasion de mourir, mais de se dévouer.

A. G. — Et voilà bien ce qui m'apparaît intolérable. Il y a dans ce monde mangé de misère tant d'occasions de sacrifice. Et non pas d'inutiles sacrifices...

C. M. — Certes... Mais je ne peux m'empêcher de penser à ceux *qui n'ont même pas ce courage-là* (si irraisonné et stupide qu'il soit) : d'accepter l'idée de la guerre, et le risque de mort, avec calme...

A. G. — Je vous comprends à demi-mots. Ne vous défendez pas... Et puisque nous allons hélas ! nous quitter (mais nous nous retrouverons cet été à Pontigny peut-être; peut-être à Cuverville), je veux vous dire ceci que j'ai remarqué en vous, car je n'ai pas que des compliments à vous faire... Vous me paraissez, comment dirais je ? C'est délicat à exprimer... Enfin, voilà... J'ai été étonné par le peu d'appétit que vous semblez avoir lorsqu'il s'agit de vous cultiver. J'ai observé vos réactions, devant la musique, la littérature. La vraie culture commence au point où l'on essaye d'approcher ce qui vous déplaît. Je veux dire, de lire le livre qui ne vous intéresse pas au premier abord; d'écouter la musique qui ne vous touche pas. Là commence seulement l'enrichissement. Votre ami Jacques, cela m'a frappé, essaye de comprendre toujours davantage; il a un grand appétit de connaître et d'aimer. Je voudrais vous voir ainsi. C'est trop grave si les êtres comme vous renoncent à la culture. Nous allons vers un monde qui, de plus en plus la niera, la négligera, s'en moquera. Qui donc la sauvera si ceux qui en sont dignes y renoncent aussi ? Car la culture, voyez-vous, apporte autre chose qu'un plaisir personnel. Elle forme, elle guide, elle élève...

C. M. — Comme vous avez raison de me parler ainsi. De ce séjour passé près de vous, je rapporte ceci précisément : un grand désir d'enrichissement, d'approfondissement...

A. G. — Je fais le pion... Je sais bien qu'on ne convainc jamais personne...

C. M. — Vous m'avez pourtant convaincu...

A. G. — L'âge est venu pour moi du repos. Je me dis souvent : à quoi bon continuer de lire... Mais je n'ai pas votre âge ! Une phrase de Dostoïevski me hante : « Ne sacrifie ta vie à rien... » C'est-à-dire reste disponible... C'est en son nom que je condamne les jeunes gens du R. P. Doncœur. Trouvez dans cette phrase aussi une raison de préférer la culture...

C. M. — A la paresse !

A. G. — Je n'ai pas dit cela !

Il se recueille un moment et dit :

— Je cherche lequel de mes amis vous présenter... (je songe à l'*entraîneur*) mais aucun ne me paraît qualifié... Non pas que je les mésestime, ou vous... Mais je ne vous vois pas ensemble.

Silence. Puis :

— Nos conversations de ces jours-ci me sont précieuses aussi en ce sens qu'elles entrent dans le cadre de ma pièce... Elles me stimulent... Comme m'a stimulé le journal de votre ami, cette nuit, pour reprendre mon article sur Claudel et les réfugiés... Combien le séjour de Malagar fut *important* ! Combien ce fut utile, n'est-ce pas, utile pour nous tous... Ne serait-ce que parce que j'ai pu apprendre à vous connaître, votre père et vous. Nous aurions pu nous rencontrer des années sans rien apprendre les uns sur les autres...

Après quoi il s'en alla, décidé, disait-il, à travailler un peu.

Un peu avant déjeuner, je le vis, au salon, réciter à Miss Adams, qui le reprenait parfois pour la prononciation, un poème de Keats, et dont il savait par cœur les quatre-vingts vers...

— Combien de temps avez-vous mis à l'apprendre ? demandait le petit Michel, ébloui :

— Trois ans...

Et, tandis qu'il récitait avec une fervente application, de sa chaude voix, de sa tendre voix, le poème que je ne comprenais pas, je l'admirais... Non, il n'a pas renoncé à la culture, ce vieillard au cœur toujours jeune, au visage jeune encore. Mon père entra au milieu de la récitation. Sans doute fut-il, lui aussi, émerveillé.

Tandis que j'écris ceci, et qu'une pluie torrentielle bat les carreaux de ma chambre, j'entends de brefs rugissements, des cris étouffés : c'est Gide qui, sa sieste finie, joue aux échecs avec Madame de Lestrange. Je l'imagine tel qu'il était hier, et avant-hier soir, avant la lecture : méditant à haute voix le pour et le contre, hésitant, jouant après de longs atermoiements, se reprenant, rejouant, soufflant, toussotant, pour s'écrier lorsque sa partenaire a avancé sa Tour ou son Cavalier : « Voilà qui est ennuyeux ! Que faire... » — et retoussant, ressoufflant, le visage contracté par l'attention, la main distraite jouant sur le tapis vert, avec des objets de rencontre...

A Châtellerault avec Madame de Lestrange, Gide et mon père. Morne quatorze juillet, dans cette morne ville. Gide est charmant que notre hôtesse plaisante gentiment. Il est si enfant gâté ! Mais il accepte en souriant l'ironie affectueuse de son amie...

Le soir, mièvre feu d'artifice au village, mais qui suffit à enchanter le petit Michel. Gide, dans sa cape, se détache sur un fond de lumières fugitives. Il récite avec mon père des vers civiques, et *Les Châtiments*...

15 juillet 1939.

Gide descend déjeuner près de nous. Comme il semble triste, au moment du départ... Cette façon qu'il a de serrer la main, comme à la dérobée, le corps un peu détourné... Il a renoncé à nous accompagner à Paris où il n'avait que faire. Mais il regrette cette matinée de voyage, près de nous. (...)

Paris, dimanche, 16 juillet 1939.

(...) Vu Jean Davray. Je lui parle du séjour de Gide. Je lui rapporte certains traits dont j'avoue ne pas avoir parlé dans mon journal, ce qu'il me reproche. Parmi ceux-ci, je note ces paroles, l'autre matin, dans ma chambre de Chitré : « D'abord, ne pas se laisser fasciner par les problèmes de la chair. Il est venu un jour de ma vie où j'ai dit : « Suffit ! L'amour, ou plutôt le plaisir ne me tourmentera plus. Je m'y abandonnerai sans remords. » Et je n'ai jamais eu à me repentir d'avoir fait comme je l'avais dit. » Ceci encore, à la fin de la conversation sur mon peu d'appétit pour la culture : « Au fond, je ne sais pas pourquoi je vous donne des conseils. Rien n'est plus vain. Chacun suit sa voie. On doit suivre sa voie. Toute intervention est inutile. Toute intervention est nuisible... » Davray m'en veut aussi de ne pas avoir rapporté cette appellation dont mon père se servit plusieurs fois à propos de Gide et, un soir, en sa présence : « Notre démoniaque docteur... » A noter aussi ces aveux : « Pendant longtemps, la curiosité m'a torturé. Je voulais toujours savoir ce qu'il y avait derrière le mur, au-delà de l'horizon, de l'autre côté de la montagne. Et j'ai fini par renoncer à cette poursuite lorsque j'ai compris qu'elle était vaine — que l'inconnu serait seulement repoussé un peu plus loin si j'avançais, inaccessible toujours... »

Enfin ceci m'a frappé chez lui comme le signe le plus caractéristique — le seul — de son grand âge : l'impossibilité où il est de dater ses souvenirs, même les plus récents. Il se rappelle le lieu, et les termes mêmes des conversations qu'il a eues, mais ne peut nous dire si c'était avant ou après la guerre. Il croit être venu le printemps dernier à Chitré, alors que c'est l'été dernier qu'il y vint, etc... (...)

27 juillet 1939.

Gide m'écrit, du Mont-Dore où il fait une cure, que, le lendemain du jour où nous avons quitté Chitré sont venus Saint-Exupéry et Guillaumet « frais débarqués d'Amérique. Grands regrets que vous ne fussiez plus là ». Il ajoute : « Je continue à ne pas *en mener large*... » Quant à mon père, il a reçu de lui une longue lettre, presque uniquement consacrée comme celle qui m'était destinée, à notre éventuel séjour à Pontigny. Mais il dit aussi : « Le plus admirable, c'est que vous trouvez encore le moyen de me remercier !... Et je m'en veux d'avoir laissé votre lettre devancer la mienne. Ma mère, qui attachait une grande signification aux convenances :

« lettres de château » et « visites de digestion »,
souffrirait de constater que je suis resté si mal élevé,
en dépit de tous ses efforts ! Elle m'eût dit : « Ton
ami, passe encore : c'est un artiste. Mais tu imagines
ce que va penser de toi Madame Mauriac ! » Le vrai,
c'est que je me suis laissé, de nouveau, culbuter
par la vague et que je me ressaisis à peine, ce matin
du second jour de cure. (...) Cher Ami, je crois que
vous ne vous rendez pas compte de ce que Malagar,
votre invitation, votre accueil, votre affection, vos
soins constants, ont été pour moi, à un moment de
ma vie où, par profond dés-espoir, je sentais un
besoin presque vital de me raccrocher à quelque
chose... Oui, ce temps passé près de vous a été
pour moi très important... »

29 juillet 1939.

Dans une nouvelle lettre, Gide me dit que la
pensée de me revoir très prochainement à Pontigny
le réjouit beaucoup. « Vous verrez que cela sera
très bien. » Il ajoute : « Et voici que je vais devoir
écrire une préface pour *Les Liaisons dangereuses*.
C'est un engagement pris il y a plus d'un an et
auquel je ne pensais plus. Maurois m'écrit qu'il s'est
porté garant; que le livre est annoncé (éditeur
américain), que je ne puis me dérober, etc. Terrible
corvée. Et je me sens si peu en train d'écrire, — quoi
que ce soit, fût-ce une lettre à vous... »

IV

PONTIGNY

Pontigny, dimanche, 13 août 1939.

Seul dans la bibliothèque, avec Gide qui écrit, penché sur une table, sa préface aux *Liaisons dangereuses*. Qu'il était jeune lorsqu'il m'accueillit et quelle joie j'eus à le revoir ! Un vrai plaisir, né d'une vraie amitié. D'où, en moi, la jalousie, l'exigence de la véritable amitié : il se montra à mon égard on ne peut plus affectueux, mais je l'aurais voulu plus amical encore. J'ai fait une courte promenade et me voici de retour dans la bibliothèque. Gide travaille toujours. Il se promène de long en large, puis s'assoit et réfléchit, le visage posé sur une main. Il se lève de nouveau, — et ses souliers grincent —, feuillette un livre, se rassoit... Je lui ai demandé si je ne le gênais pas. « Votre présence muette, au contraire... » Bon.

— Vous avez lu *Les Liaisons* ?

— Je pense bien ! Cela a compté dans ma vie...

— Vous comprenez alors que j'attache une certaine importance à mon travail présent...

Je le vois à contre-jour. Puis-je faire autre chose que de le regarder à la dérobée ? Le visage, à demi levé, est dans l'ombre. Gide craque une allumette. Depuis que je suis revenu de ma promenade, il n'a rien écrit. Le livre que j'avais été chercher m'ennuie. Je n'ose pas en prendre un autre de peur de le déranger. Bonne excuse pour l'épier. Il est vrai que l'expérience est rare : surprendre André Gide en pleine création... Mais la curieuse façon qu'il a de travailler ! Deux fois il a quitté la bibliothèque pour revenir bientôt après. De temps à autre un soupir, un seul. Et ces étranges promenades...

Un peu plus tard, Gide me lit, dans la bibliothèque, sa préface aux *Liaisons*. T. P. arrive quand c'est fini. Je venais de faire remarquer à Gide que ce qui m'avait toujours frappé, dans le caractère de Valmont, c'était son goût du jeu. Il joue avec l'amour, avec des cœurs. Et c'est là que le Diable (dont parlait justement Gide) apparaît : on ne s'amuse pas impunément avec des êtres de corps et d'âme. Gide me donne d'autant plus raison que, dans les notes qu'il avait prises, il y en avait une à ce sujet, et dont il avait, me dit-il, oublié de se servir. Il se remet donc au travail, pour ajouter un ou deux paragraphes sur ces jeux dangereux. « Je croyais en avoir terminé... » Sa préface ? Assez superficielle parce que trop rapide.

Gide me montre une lettre de Madame Du Bos. Il est consterné : elle lui demande un rendez-vous. Le dernier nom ami prononcé par Charlie fut le sien. Elle a un grave message à lui transmettre de sa part. Elle sait son horreur des conventions, mais il est des circonstances où la convention est de se refuser. « Ne vous dérobez pas », écrit-elle. Et cette lettre pathétique est signée : Zézette. Gide me cite le cas de la femme de son ami L... qui assure que le mort lui parle et la charge avec insistance de convertir Gide : « Cela va recommencer. Que faire ! On est acculé à une véritable trahison morale. Car, devant la douleur, que dire ou que tenter ? » Il a l'air traqué. (...)

Dans la nuit, le long de l'église trapue, des couples fuient. Mille liens charnels se mêlent ici à ceux de l'esprit, mille drames du cœur, mille joies aux joies et aux drames de l'intelligence. Jankélévitch m'avait prévenu : « Il y a un charme à Pontigny, une grâce spéciale, un mystère. » Merveilleuse chambre, dans le pavillon, au rez-de-chaussée. Merveilleuse quant à ses boiseries, mais aussi merveilleusement inconfortable. Le pas d'André Gide dans la pièce au-dessus. Il m'empêche de dormir avec sa promenade ininterrompue...

J'avais mal compris Gide lorsqu'il m'avait écrit qu'il venait d'envoyer à J. à propos de *L'Abjection* une lettre sévère. (« Le livre de J. est stupéfiant. Quelle complaisance dans le méphitique ! » Et dans la lettre suivante : « J'ai écrit à J. assez sévèrement, — vous montrerai le double de ma lettre — et m'attends à recevoir une réponse sensationnelle. ») Comment avais-je pu m'y tromper ! « Mais, bien sûr, c'est un livre magnifique, m'a-t-il dit ce soir. Ce qui est seulement affligeant, c'est la complication qu'il met dans des choses si simples. Il se fait des montagnes de tout et dérange

le Diable pour si peu de chose ! » Si peu de chose,
l'homosexualité ? C'est ici que l'on sent le défaut
de ce cœur rigoureux. Comme il est désarmé, en
présence de son Péché, notre Gide ! Il essaye de
le convaincre d'inimportance. Il essaye de se
convaincre.

Lundi, 14 août 1939.

LÀ-BAS, au coin de la route, Gide flâne. Il entre
dans une maison, en ressort, se penche sur le ruisseau, vient vers moi, s'arrête pour prendre une
note. Et son crâne luit au soleil. Le voilà, il sourit,
ses doigts s'agitent : « On tape ma préface. Je l'ai
terminée ce matin... » Un petit rugissement. Il s'en va.

La décade sur les Étrangers commence demain.
Dès aujourd'hui, une vingtaine de participants sont
arrivés. Laids à pleurer. Conversations toute la journée avec Robert Levesque, le Docteur Sotry et un
jeune (futur) normalien, Jean Curtis, dix-huit ans...
Bonne camaraderie qui se prolonge tout le long du
jour et fort avant dans la nuit. (A ce moment, une
charmante petite Norvégienne, au rire frais et pur,
se joint à nous.) Jeux faciles qui nous ravissent :
nous inventons un poète, Jean Cheminée, et parlons sans fin de son œuvre. Cela pour que le savant et
encyclopédique raseur qu'est W... ne trouve pas où
se glisser dans notre conversation. Gide, les poches
pleines de petits jeux d'adresse, s'amuse à mettre
aux prises avec leurs difficultés les jeunes de la décade.
Il les observe non sans beaucoup s'amuser et sa

patience à les regarder est tout aussi étonnante que la leur à vaincre les obstacles. Gide dit de ces petits jeux (clous entremêlés, boules à placer en ordre dans des trous, etc...) qu'ils sont d'utiles prétextes en voyage, lorsqu'il s'agit de faire connaissance.

Gide me montre une lettre où Henri Guillemin se défend d'avoir tiré Flaubert à lui, ou plutôt au Christ. « Pendant près de quatre ans, la *Correspondance* de Flaubert fut mon livre de chevet, me dit-il, tandis que nous faisons le tour du jardin. J'y découvrais avec émerveillement et confiance qu'une autre morale était possible, une autre grandeur que celles de la religion. Et voilà que l'on vient me dire que son éthique rejoint celle du Christ ! En moi, alors, deux réactions contraires : une grande colère, d'abord, car ce n'est pas vrai. Puis une grande confiance. » Et l'air soudain ironique : « Tiens ! me dis-je, laissons faire, abandonnons-nous à notre pente. Un Henri Guillemin viendra pour dire que cette pente était celle du ciel ! »

Après dîner, conversation avec Gide sur sa *Préface*. Il n'en est pas content :

— Je n'ai pas formulé, ou j'ai mal formulé l'essentiel. A savoir ma joie devant un livre où il n'est pas tenu compte de la morale courante.

— Soit ! Mais vous appelez ce livre *épouvantable* et cela dès la première ligne...

— Il est épouvantable, en effet. J'ai soin de préciser que Valmont me fait horreur. Quel pauvre résultat après tant de manœuvres, quelle pitié !

— Oui, on a envie de lui dire : « Vous voici bien avancé. »

— Voilà ! Il faudrait que je dise cela.

— Oui, il serait *honnête* de le faire. Mais on retournera cette précision contre vous. On dira : « Gide lui-même reconnaît que sans la religion, on arrive à la désagrégation, à la solitude, à la déchéance. » Il serait donc bon que vous indiquiez votre véritable position. Non pas Valmont, Flaubert. D'où l'occasion pour vous de répondre à la question si grave soulevée par Guillemin.

— Ce sera difficile. Mais vous avez peut-être raison... J'y penserai. Je vais garder le manuscrit quelques jours avant de l'envoyer.

Et le voilà parti...

Minuit. Je viens de quitter Levesque, Sotty, Curtis et T. P. La petite Norvégienne qui habite à côté de moi vient de me dire bonsoir de sa voix chantante. J'entends en haut Gide qui, du fond de son sommeil, jette de temps à autre dans le silence de longs gémissements, des plaintes d'enfant, mais qui n'ont rien de triste.

Mardi, 15 août 1939.

Gide : « Je vous ai quitté brusquement hier soir, parce que ce que vous veniez de me dire à propos des *Liaisons* m'avait fort *excité*. Je m'en sentais tout regonflé. Dans le silence merveilleux de la bibliothèque, déserte à cette heure, j'ai travaillé. J'ai eu dix minutes de joie complète, de travail ardent. Ce lyrisme de la création que je connais si rarement maintenant... Il y a bien un an que je n'avais retrouvé cet enthousiasme. Hélas ! Je me fatigue vite. L'exaltation a tourné court... » Il me donne à lire, dans son carnet de notes, le fruit de ce travail nocturne. J'y retrouve nos pensées d'hier soir, mais insuffisamment marquées. Je le lui dis. J'ajoute qu'en parlant d'*ennui* il diminue l'intensité désespérée de cette solitude où aboutit Valmont. Ou alors, il faudrait *ennui* au sens XVIIe du mot. Il m'indique qu'il s'est défendu dans cette *Préface* tout vocabulaire *mystique* et je lui donne raison. Il m'accorde que son texte a besoin d'être renforcé. Il le sera. « Mais, ajoute-t-il, je ne veux pas non plus être le Guillemin de Laclos. » Enfin : « Ce qui me paraît capital dans *Les Liaisons dangereuses*, c'est la dissociation qui s'y trouve excellemment faite entre le plaisir et l'amour. Cela correspond tellement aux préceptes que j'ai toujours suivis dans ma vie... » C'est pour cela qu'il n'en parle pas dans sa *Préface* : il faudrait trop de précisions.

Il me montre une lettre de Jean Paulhan lui proposant de faire un numéro de la *N. R. F.* à sa gloire. Il s'en défend humblement. Je lui dis que le gidisme étant infiniment dépassé, Gide s'étant épanoui, l'heure était venue, en effet, d'une nouvelle mise au point.

Jean Davray est au car de midi. Avec quelle joie je l'accueille et l'initie à Pontigny. Gide, de son balcon, jeune, si extraordinairement, nous salue. Trente-cinq ans, dit Jean. Il exagère à peine.

3 heures. Madame Desjardins ouvre la décade. Puis je présente notre Comité pour le Placement rural des Réfugiés espagnols. (...) Une discussion

suit, où Gide intervient avec une mesure un peu timide, mais surtout l'intarissable, catastrophique et omniscient W...

Notre petit groupe, dans la voiture de Jean-Marie Sotty, va jusqu'au barrage avec l'espoir d'un bain auquel nous renonçons. Au retour, nous ramassons Gide qui flânait sur la route; et l'auto repart qui emporte le Maître et cette jeunesse entassée et rieuse. Gide sort de sa poche ses petits jeux horribles. Des casse-têtes dont il ne se lasse pas d'observer les ravages. Nous nous essayons tous pendant de longues minutes à démêler ces clous sataniques embriqués les uns dans les autres et que Gide qui connaît le truc délivre d'un seul mouvement.

Avant dîner, Davray et moi dans la chambre de Gide : « J'en avais terminé avec cette *Préface*, dit-il, mais des conversations avec Claude m'ont ouvert des horizons nouveaux. J'ai compris qu'il fallait approfondir. Seulement je ne réussis pas à exprimer, ou plutôt à placer ce qu'il convient d'ajouter... » Et de nous consulter, manuscrit en main, sur l'endroit où glisser adéquatement tel nouveau paragraphe jugé indispensable. (...) Pendant la soirée, Gide sévit avec ses jeux d'adresse. Ah ! si ce n'était pas lui...

Mercredi, 16 août 1939.

Arrivée du vieux Paul Desjardins. (...) Pas du tout occupé de Gide, aujourd'hui. Ce matin, il mourait d'envie de nous accompagner à Vézelay, c'était visible; mais dans le même moment, se l'interdisait pour d'obscures raisons qui sont bien dans son personnage. Lors des entretiens, il prit part à la discussion, avec précaution.

Jeudi, 17 août 1939.

GIDE, dans sa chambre, nous lit, à Jean et à moi, sa *Préface*, dernier état. Il l'avoue lui-même : « Je n'ai rien dit, rien pu dire des points essentiels qui s'étaient dégagés de ma conversation avec Claude. » En effet, presque rien sur le *jeu*; rien qui désavoue Valmont d'une façon nette; rien sur le satanisme *particulier* de ses machinations; rien sur la morale Flaubert opposée à l'a-morale Valmont. Cela dit, des précisions tout de même assez importantes nées de notre conversation. Et de nouveau Gide commente :

— Je n'arrive jamais à dire vraiment dans un texte unique ce que je me proposais d'exprimer. Où placer des remarques capitales ? Comment les fondre dans un texte préexistant ? Je ne réussis qu'à cerner mon sujet, à exprimer tout ce qui l'entoure, sauf précisément ce qui est l'essentiel de lui-même, qui est lui-même...

Alors, c'est cet aveu dont il ne semble pas mesurer la portée (car il y reconnaît implicitement cette particulière impuissance qui est la sienne en tant que romancier, critique, etc...) :

— Je m'en tire en publiant *à part* ces notes que je ne sais comment placer. Sous forme de journal, par exemple. Ainsi puis-je vraiment m'exprimer. C'est plus facile que de les fondre dans un texte unique.

La lecture achevée, il alla chercher dans la bibliothèque le Lautréamont pour nous montrer « qu'un
retors semblable préside aux *Liaisons dangereuses* et
aux *Chants de Maldoror* ». Ce fut une assez curieuse
séance. Jean Davray avait derrière ses lunettes noires
un air épouvanté en même temps que ravi. Gide
lisait de sa voix grave. Et c'était beau. Jusqu'au
moment où ce fut gênant. Comment suggérer ceci :
que Gide devint soudain la chose du Démon ? Sa
voix trouvait des assonances nouvelles, plus convain-
cantes, doucereuses, insinuantes, perfides que d'habitude. Son visage rayonnait d'un ravissement méchant. Je ne l'admirais plus. J'avais peur. Certes,
la scène était pittoresque : entendre lire ce passage
terrible où Maldoror écrit à Mervyn — et l'entendre
lire par André Gide, cela n'était point banal. Davray
en ressentait comme moi le côté savoureux. Mais
nous étions rejetés au-delà de ces pauvres sensa-
tions.

Où était le Gide charmant, le Gide prévenant, le
Gide attentif, affectueux, bon et spirituel que nous
aimions ? Cet homme qui lisait la lettre de Maldoror,
puis la réponse de Mervyn, quelle joie mauvaise
l'animait ? Je recopie ici les quelques lignes qui
dévoilèrent subitement cet autre visage d'André
Gide. Il faut imaginer, je le répète, jointe à l'insistance particulière du verbe gidien, une mise en scène
nouvelle du visage, de la voix et du geste. Chaque
mot semblait entouré de gerbes lumineuses, chaque
mot jaillissait, volait, frappait comme une flèche :
« ... *Jeune homme, je m'intéresse à vous*, je veux faire
votre *bonheur*. Je vous prendrai pour *compagnon*, et

nous accomplirons de longues pérégrinations dans les îles de l'Océanie. *Mervyn, tu sais que je t'aime* et je n'ai *pas besoin* de te le *prouver. Tu m'accorderas ton amitié, j'en suis persuadé.* Je serai pour toi *un frère* et *les bons conseils* ne te manqueront pas. *Jeune homme,* je te salue... » J'ai souligné les termes qui, dans ce texte déjà entièrement, profondément souligné par la voix biblique de Gide, prenaient cependant une importance spéciale.

Au dîner, Madame Desjardins préside à un nouveau changement des places. Je ne suis plus en disgrâce. Plus du tout. Être disgracié, dans notre langue, c'est être loin de la place où se trouve Gide. Jeunesse étonnante, inquiétante, de ce visage : sous le front immense, de petits yeux bridés, fendus en amande et qui brillent de malice. Une figure un peu lourde, et qui tombe. Mais l'ironie, le plaisir, la joie l'éclairent, le régénèrent, le sauvent. Visage illuminé, visage de Gide ! Il a l'air d'un bouddha, me dit ma voisine. Comme le trait est juste si on ajoute l'épithète, à vrai dire inattendue : ascétique.

Ces lieux me plaisent où, jeunes et vieux sont unis par la même ferveur, cette complice intelligence, cette culture. Paul Desjardins me paraît attachant; il m'émeut; j'aime déjà lui faire plaisir et j'y réussis : je laisse en moi ma joie parler. Oui, j'ai rarement vu une réunion de si beaux livres, ni mieux choisis; oui cette abbaye est noble, nobles ses hôtes. J'aime déjà Madame Desjardins, courageuse, charitable, active et qui mène avec une douce autorité ses soixante-dix invités. (Avec quel brio elle distribuait à chacun sa place, au début du dîner !) Voix grave, un peu rauque, visage de pierre sous les cheveux noirs d'un côté, blancs de l'autre, séparés exactement telle une glace panachée.

Le sommeil de Gide est chantant, ce soir, comme les autres soirs. Ce sont de brèves plaintes qui fusent dans la nuit. Ses petits jeux me mettraient hors de moi si je n'avais décidé de n'y plus prêter attention.

Vendredi, 18 août 1939.

Paul Desjardins reste en marge. Nul ne s'occupe de lui. L'activité de sa femme l'entoure, passif. Peut-il ne pas sentir qu'il l'importune ? Dévouée, bien sûr, mais dure avec lui, sans s'en rendre compte, par agacement. Cette façon qu'elle a de le considérer comme nul et non avenu... Elle marche très vite, m'entraînant, et le pauvre vieux renonce bientôt à nous suivre. Elle lui fait comprendre qu'il est de trop lorsque, sous un prétexte ou sous un autre, il entre dans le bureau où nous travaillons. Timidement, il s'excuse et part. Pontigny est son œuvre. Quelle tristesse que la déchéance de l'âge ! Lucide, mais ralenti, il est doux, humble et charmant. Et Pontigny vit autour de lui de la vie qu'il lui a donnée, sans lui prêter nulle attention.

Trophinoff, professeur de piano, suit avec application les conseils de Gide, debout, derrière lui, et qui explique : « On ne sait pas lire Chopin. Ce prélude a sa raison d'être dans cette différence de mesure que, précisément, vous n'avez pas vue. La main droite... Tandis que la gauche... » Et des précisions techniques suivent, incompréhensibles pour moi, mais que le bon élève essaye d'assimiler.

Au cours des entretiens, un jeune Tchèque, au grave et pur visage, parle pour les siens exilés. Davray, pour les juifs allemands. Gide intervient aussi. Et je l'admire de s'occuper, à son âge, de la souffrance d'autrui. Délassante promenade à bicyclette avec T. P. La lumière du soir transfigure les moissons et les sous-bois. L'odeur neuve de la campagne me lave, me régénère, me sauve.

Après dîner, au salon, devant tous les participants de la décade, André Gide lit sa *Bethsabée*. La voix superbe et puissante martèle ce texte d'une si poétique gravité. Assis un peu de biais, Gide se détourne parfois du livre posé sur la table et récite, les paupières baissées, une phrase tout entière. Il mime le récit et dans sa voix se glissent le désir, la tendresse, la solitude et la détresse de David, son héros. La magnificence de la Bible se distingue mal de ce qui, dans cet ensemble magnifique, revient en propre à Gide.

Le vieux syndicaliste scandinave Backlund, assis à l'extrême bord de son fauteuil, appuyé de tout son corps sur la table, sa jambe malade étrangement abandonnée sur le tapis où elle est couchée comme une poupée d'étoffe, ne semble guère intéressé. Il sommeille. Ce n'est point sa partie. En revanche, André Philip a l'air passionné. Jean Curtis, qui lit ces jours-ci *Les Nourritures terrestres* pour la première fois, écoute, debout, avec beaucoup de cœur. (Mais, par la suite, il devait feindre l'ironie.) Levesque,

pétrifié d'admiration, demeure immobile, et la
sucette qu'à notre exemple il déguste reste figée
dans ses mains inertes, à quelques centimètres de ses
lèvres. Les Hollandais, Allemands, Anglais, Hongrois, Tchèques, ne comprennent pas grand-chose
peut-être, mais retiennent leurs souffles. Tact
collectif : personne n'allume de cigarettes pendant
la lecture, et, cela, en l'absence de toute instruction.
« Je ne suis pas satisfait, me dit Gide, lorsque c'est
fini. Ce qui est bien est emprunté à la Bible. Je
n'aime pas ce ton mi-chair, mi-poisson. Et j'ai une
telle horreur de l'emphase, aujourd'hui... »

Puis nous l'accompagnons dans la nuit, avec
Robert Levesque, Jean Davray, Jean Curtis, T. P.
Nous bêtifions légèrement. Gide préfère cela, c'est
visible, aux indiscrètes questions des Pontignaciens
de rencontre. Et puis, il lui plaît d'être entouré de
jeunes.

Samedi, 19 août 1939.

QUE dire de cette journée ? Gide, continuelle-
ment attentif et ravi devant les tentatives et la
déconvenue de ceux qui se laissent prendre à ses
petits jeux. Un mortel entretien où parle André
Philip sur le statut des Étrangers. L'arrivée du
socialiste italien Rossi, qui écrit au *Populaire* sous le
nom de Leroux. Une promenade à bicyclette avec
Levesque et Curtis. La lecture par Gide, devant tout
le monde, de son *Enfant prodigue*. Entre lui et moi,
maintenant, des rapports simples, cordiaux, naturels.

Aucune parole grave, ni même sérieuse. Une conversation banale et agréable. Aucune envie de le faire parler ou de briller.

Le vieux Desjardins accomplit un grand effort, au cours d'une conversation privée pour répondre à Philippe Serre qui fait le procès des normaliens, prétendant que seuls les juristes savent s'adapter aux contradictions apportées par les faits aux théories. Cette thèse si discutable, Paul Desjardins ne la discute pas. Il s'attache seulement à prouver que la question n'est pas si simple pour cela seulement qu'il y a *des* normaliens et non pas une espèce figée aux membres interchangeables, *les* normaliens. Sous son large béret, un petit visage où pousse, inculte, une barbe follette et blanche. Il parle lentement, difficultueusement. Les mots viennent de très loin. Mais ils viennent, réfléchis, rigoureux, intelligents. Et je suis assez ébloui. Je songe aux trésors de culture qui dorment dans ce vieux crâne et que la mort anéantira. Je songe à la douleur de vieillir ! Il raisonne comme aux plus beaux jours de sa vie, mais l'interlocuteur, plus rapide dans sa jeunesse, ne lui laisse jamais le temps d'assembler ses pensées. Pour une fois, on fait cercle autour de lui. On l'écoute. Il cite des noms. Ceux de sa promotion. Et cela suffit au triomphe de sa thèse : Bergson, Durkheim, Jaurès... Il dit aussi qu'il avait seize ans en 1870. Il ajoute qu'il a suivi pendant trois ans les cours de Fustel de Coulanges. Ce nom rejette loin dans le passé cet homme qui est pourtant là, vivant, devant nous. (...)

A notre voisine, pendant les repas, Gide présente

d'un air tentateur ses petits jeux diaboliques. La curiosité de la jeune fille s'en empare. Et j'invente cette phrase, très littéraire, et qui donne à la réalité un de ces coups de pouce chers à Jean Davray (qui, à propos de Gide, voit partout allusions et sous-entendus) : « Et il distribuait des jouets aux filles pour les détourner des garçons. » Avec quelle joie insidieuse Jean cite les mots de Gide, avec quelle ingéniosité perverse il interprète ses regards ! En voulant Gide plus Gide que nature, on trahit Gide et la nature.

Cette jeune et jolie Suédoise, qui est ici avec toute sa famille, comme elle parle à peine le français ne se mêlait pas aux autres participants. Elle était à mon égard d'une froideur si décourageante que, depuis longtemps, j'en étais réduit à me satisfaire de notre bonjour du matin. C'est en vain que mes regards essayaient d'agiter de quelque émotion son impassible et beau visage. Mais dans la redistribution des places, ce soir, au dîner, elle se trouva être ma voisine et je la découvris, loquace, gaie, aussi peu marmoréenne que possible. Elle s'appelle Selma. Nous sortîmes avec elle, Jean Curtis et moi. Promenade sans autres histoire que celle de cette présence de plus en plus abandonnée à mesure que se fait plus noire la nuit. Ma chambre donne de plain-pied sur le jardin. Nous nous y rendîmes, car la pluie de l'après-midi avait mouillé les bancs. Assis sur le divan, tous les trois. La présence de Curtis me sauve de toute imprudence. Mais il s'ennuyait ferme.

C'est en vain que je l'exhortais à la poésie. Il bâillait. Là-haut, Gide, dans son premier sommeil, soupirait. Il fallait faire doucement pour ne pas l'éveiller. Comme j'aimais le parfum de ce lisse visage sans fard ! Cette tendresse, cette paix, tout l'abandon d'une femme pour qui un visage d'homme, soudain, devient le plus grave des mystères. A notre conversation, que sa connaissance imparfaite du français rendait difficile, a succédé cette entente totale. L'homme et la femme, seule internationale vivante. Au-delà de toutes les civilisations, de toutes les différences ethniques, linguistiques, raciales, nous nous retrouvions, elle et moi, fidèles à un rendez-vous mystérieux que, du fond des âges, nous nous étions l'un à l'autre donné, réunis enfin, unis par la plus grande, la plus ancienne entente.

A minuit, il fallut la rendre à sa mère. Nos baisers silencieux n'avaient pas alerté Curtis qui s'étonnait naïvement que nous pussions rester si longtemps immobiles. « Pourquoi l'as-tu retenue, me dit-il lorsque nous fûmes seuls. Tu n'as pas vu qu'elle s'ennuyait tout autant que moi sur ce divan... »

Lundi, 21 août 1939.

Gide de Desjardins :
— Vous le voyez ralenti. Mais lorsqu'il était plus jeune et que la machine bien huilée fonctionnait à neuf chaque matin, c'était inouï... Tant de complexes, tant de méchanceté sur lesquels il avait construit une étonnante figure cornélienne. Il s'observait depuis

la première heure du jour, jouant la comédie, sa comédie dès le réveil. On le voyait, par exemple, à quatre pattes dans le hall, ramassant les mégots en signe de protestation contre ses invités, et cela, dix minutes avant que les domestiques viennent faire le ménage. C'est Copeau qui, le premier, attira mon attention sur ce que Desjardins avait de remarquable. Plus cultivé que quiconque, et avec cela méchant, mordant, un peu aigri de n'avoir pas la place qu'il méritait, il était d'une insolence assez terrible. Tout son talent, il le dépensait pour ses élèves. Ses œuvres écrites, il ne pouvait jamais se décider à y mettre la dernière main, torturé sur ce point par une impuissance étrange...

Promenade à bicyclette avec T. P... A propos de quelques notes de ce journal que je lui ai donné à lire, conversation importante. La joie de la détente physique après la contention des entretiens de la journée, nous met en verve. Les confidences qu'il me demande, je les lui fais, et cela sans effort, ma pensée se déroulant avec la précision et la facilité mêmes dont tournaient mes jambes. Quelles confidences ? Que de tout temps l'idée de la pédérastie m'a paru impensable; qu'en revanche, je n'ai jamais ressenti à l'égard des pédérastes la moindre répugnance; que la question de soi-disant moralité ne se pose pas pour moi : si j'étais ainsi, je ne vois pas ce qui m'empêcherait de céder à mon penchant, et c'est pourquoi je ne juge pas les pédérastes, mais qu'y faire : je ne suis pas ainsi !

Telle est l'ironie persuasive et la sénérité de mon verbe que, pas une minute, T. P. ne met en doute ma parole. Mais il s'étonne que je n'aie jamais eu avec Gide une conversation aussi franche et décisive :

— Il serait bien surpris, me dit-il, et vexé ! Cette lecture de *Maldoror*, l'autre jour, d'après ce que j'en ai deviné à la lumière de tes aveux, de ceux de Davray et des propres allusions de Gide, nul doute qu'elle ne lui ait été une occasion de faire une expérience. L'expérience de te troubler.

— De me troubler ?

— Sans aucun doute. Or il serait très vexé d'entendre de ta bouche que tu as été troublé par la malignité de son visage, non par celle de la lecture. Car il avait choisi ce texte entre mille.

— Mais non ! Il s'agissait de faire un parallèle avec *Les Liaisons dangereuses*.

— Prétexte, sois-en assuré ! Gide aime troubler. Il aime plaire. Il te croit vulnérable.

Et nous pédalions sur la route mouillée. Et des brouillards montaient du sol. Et je disais, sur un ton piqué, car j'étais triste d'avoir été dupe à ce point :

— Me troubler avec *Maldoror* ! Mais c'est enfantin ! Gide lui-même nous a appris à ne plus nous étonner de rien. Le « De quels rayons se vêtait ma gloire » de *Si le Grain ne meurt*, nous a une fois pour toutes rendu la stupeur impossible...

Et, avec plus d'amertume :

— J'aime Gide... Je l'aimais... J'ai confiance en lui... J'avais confiance...

En moi, son visage un peu sardonique rayonne d'une joie maligne.

Ce visage se trouva mêlé à cette étrange soirée qui suivit, où je connus toute la détresse et toute la joie d'un certain mystère. Aux yeux d'un profane, que fut cette séance de l'après-dîner, où chacun fit son numéro : l'un chantant quelque mélodie anglaise ou hollandaise; l'autre récitant un poème en suédois; le troisième lisant du Gœthe; un autre je ne sais plus quoi en hongrois; deux autres quelques scènes de *Macbeth*; Trophinoff interprétant du Liszt; X. jouant de la flûte; et Gide récitant avec une emphase voulue un poème de Baudelaire; et le vieux Paul Desjardins, lisant de sa voix tremblotante *L'Enfer* de Dante; et Mademoiselle B. dite *la seiche*, parce que W... se faisait les dents sur elle, chantant en italien... Qu'en dire, sinon que se trouvaient atteints à la fois le comble du sublime et celui du grotesque ? C'était tout Pontigny, cela, son charme le plus particulier.

Mais il y eut autre chose. On avait sorti les albums de photos et j'y voyais revivre le Pontigny d'autrefois. Il se mêlait à celui d'aujourd'hui, l'un l'autre se chevauchant. Et l'angoisse m'étreignait. Comment dire cela ? Ces photos de mon père jeune, je ne les connaissais pas. Je ne connaissais pas mon père jeune. Il riait, en compagnie de Gide, de Fernandez, dans des vêtements un peu démodés. Lacretelle était là. Et Georges Duhamel. Pour moi méconnaissables : je voyais triompher la jeunesse de ces

hommes dont je n'ai jamais connu que des visages
usés. Et pourtant, Paul Desjardins avait sur ces
anciennes photos, la même apparence, exactement,
que je lui voyais ce soir. Tout aussi vieux. Pas plus.
Le temps était aboli : sous ces charmilles que je
reconnaissais, une autre époque s'amusait, s'aimait.
Et j'étais jaloux de mon père. Jaloux de Gide dont
le visage ovale, dans cette jeunesse de l'ancien Pontigny, était plus méphistophélique encore. Je comparais ces deux hommes : celui des photographies,
avec, dans l'amande de ses yeux fendus une douceur
inquiétante; celui d'aujourd'hui, dont le visage à
peine épaissi prenait soudain, grâce à ces témoignages d'autrefois, son vrai sens. Il rajeunissait
devant moi, cet homme qui avait ce geste, exactement
le même, que l'objectif avait saisi voici vingt ans;
et l'autre vieillissait dans la même mesure; et ils se
rejoignaient; et j'avais peur d'on ne sait quoi.

Mardi, 22 août 1939.

COUP de théâtre : l'U. R. S. S., avec qui le « front
de paix » (!) franco-anglais parlementait depuis des
mois, va signer un pacte de non-agression avec le
Reich. Désarroi : groupés autour de la T. S. F.,
nous n'en croyons pas nos oreilles. Ph. S., devant ce
coup de maître de Hitler, annonce que la résistance
en Pologne est devenue impossible, que la France
doit se replier, qu'il faudra la « repenser ». Madame
Desjardins lutte stoïquement contre le décourage-

ment : « Mon fils a été tué à la guerre, dit-elle.
Munich fut pourtant la plus grande souffrance de
ma vie. »

Mercredi, 23 août 1939.

TRAVAIL matinal avec Gide, Curtis, Levesque,
dans la chère bibliothèque. Nouvelles confuses. Ni
la France, ni l'Angleterre n'ont encore réagi. Dans
la grande salle du chapitre, tandis qu'il pleut, passionnante lecture de son journal par T. P... en présence
de Gide (leur voyage en Grèce). J'y reviendrai, si
le temps... Le désarroi de la presse est à son comble.
Mauvaises nouvelles.

Jeudi, 24 août 1939.

LES affiches blanches sur les murs de la poste.
Les numéros 3 et 4 sont rappelés. Blasé. Ce n'est
plus l'effet foudroyant de septembre dernier, mais
tout de même... Bavardages. Angoisse. La décade
s'achève tristement. Départ, avec le gros des invités
par le tortillard de treize heures. Gide, Desjardins et
les quelques personnes qui restent nous accompa-
gnent à la gare. Gide, très ému au moment du départ,
m'embrasse sur les deux joues. Pensé à Selma que je
ne reverrai jamais plus, avec déchirement.

. . . .

Malagar, mercredi, 30 août 1939.

Nous avons beaucoup parlé de Gide, ces jours-ci, entre deux alertes. Les événements m'ont empêché de m'expliquer au sujet de cette lecture par T. P. de son journal où on les voyait, Gide et lui, chercher l'aventure dans les montagnes de Grèce. Puisqu'un semblant de détente dans les faits (tels qu'ils nous sont connus) me laisse, ce matin, l'esprit relativement libre, je vais essayer de préciser ma nouvelle conception de Gide.

Car j'ai peu à peu changé d'opinion à son sujet. Je ne m'en aperçus pas tout d'abord, cette évolution s'étant faite insensiblement. Qu'était pour moi André Gide avant la décade de Pontigny ? Un Maître. Je veux dire : un modèle. Non pas tant dans le domaine littéraire que dans le domaine spirituel. Je connaissais ses mœurs. Je les savais différentes des miennes. Peu m'importait, si cela seulement avait pour moi de la valeur : cette rigueur que la sincérité et le courage donnaient à la vie de Gide. Ma vie était autrement orientée. Mais la sincérité, mais le courage, pouvaient la rendre plus noble. Donc j'admirais André Gide. Je faisais plus : je l'aimais. Son attention, sa simplicité, ce qu'il y avait en lui de presque trop sensible et de tendre m'émouvait. Je ne doutais pas d'avoir trouvé en cet homme, malgré son âge, malgré sa célébrité, un ami sûr, quelqu'un de fidèle, de fort, de compréhensif, à qui je pourrais toujours aller aux heures graves.

Quelle modification le séjour de Pontigny apporte-

t-il à ce point de vue ? Je ne saurais le dire avec
netteté. Mais il apporte une modification. J'aime
toujours et j'admire André Gide. Mais je l'admire,
mais je l'aime d'une façon différente. Quant à la
confiance, je m'en sens moins assuré. A l'origine de
ma déception il faut peut-être mettre l'attitude de
Gide vis-à-vis de notre groupe de jeunes gens, cette
façon qu'il avait de rôder avec une méfiante envie
autour de nous. Qu'ai-je ici à reprocher ? Rien de
tangible. Gide se sachant prestigieux à nos yeux et
désirant notre compagnie, faisait montre à notre
égard de pudeur et de tact; sa coquetterie se révélait ombrageuse : il avait peur toujours de nous
importuner. N'osant s'approcher, il nous adressait
de loin d'énigmatiques sourires. Ou bien il se joi-
gnait à nous, mais on le sentait aussi instable qu'un
oiseau mal apprivoisé. Indifférent en même temps
que jaloux... Je m'aperçois que tant de subtilité
dans le grief est indicible. En bref, cette attitude
de Gide me le découvrit beaucoup moins *fort*
que je ne le pensais, beaucoup plus vulnérable.
A vrai dire, j'aurais dû le savoir; je le savais :
mais je ne le sentais pas. Je savais sa chair blessée,
son cœur en perpétuelle alerte. Je n'avais pas imaginé que cette vulnérabilité pût se traduire par
ces pauvres, ces timides démarches, toute cette
attitude d'orgueilleuse humilité, si féminine, en
somme, si peu compatible avec la dignité de
l'homme.

Ce que je reproche à Gide ? Un défaut de pudeur,
de réserve, malgré sa réserve, sa pudeur en apparence excessives. Il lui manque cette rigueur pro-

fonde sans laquelle il n'y a pas pour l'homme de grandeur. Son intransigeance extérieure cache un cœur qui toujours est disposé à pactiser. Cela, je n'en accuse pas l'ami exquis, l'écrivain admirable, l'homme de cœur et de goût, mais celui que je prenais pour un Maître. C'est peut-être son prestige que Gide perdit pour moi à Pontigny. C'est-à-dire, qui sait ? ce qui me le rendait particulièrement cher.

Une scène décida de tout. Sans elle, je n'eus peut-être pas trouvé le sens de tant d'impondérables avertissements. C'était le 23 août dans la salle du chapitre. Il pleuvait, et cette grande pièce voûtée, silencieuse, recueillie, donnait la nostalgie de la solitude et du travail. T. P... me lisait son journal. Comment me serais-je attendu à cette crudité ? Comment aurais-je imaginé ce petit homme au visage d'enfant rieur, mais humble, réservé, pudique, comment l'aurais-je imaginé capable de tant de passion ? Et précisément de cette passion-là qui lui faisait poursuivre les jeunes bergers. Nus, ils connaissaient sur une colline proche d'Athènes les délices de l'amour. De l'amour grec, c'est le cas de le dire.

T. P... avait eu cette ultime pudeur : défendre à Jean Curtis d'assister à la lecture. Dix-huit ans, pensez donc ! Mais Jean Curtis revint, suppliant, et peu après, arriva Gide lui-même, avec sa démarche méfiante et son air curieux. Que de manières avant qu'il se décide à rester pour la nouvelle lecture annoncée par T. P... : la partie de leur voyage de Pâques dont il ne lui a pas encore fait connaître la relation. Il est visible que, depuis le premier instant, Gide sait qu'il demeurera près de nous. Mais il se fait prier. Il prend des airs de pudeur alertée, de sensualité confuse. Il fait des fausses sorties. Il parle de sa gêne. Ses yeux brillent de malice. Lorsqu'il s'assoit enfin, T. P... demande à Jean Curtis de nous quitter. Le pauvre enfant s'y refuse avec énergie. « Tu es trop jeune... Je ne puis prendre sur moi... » « — Crois-tu ? » dit Gide d'une voix dont la suavité me fait un peu mal. » « — Mais oui ! Il y a des scènes très osées... » Gide fait un geste ravi. « Qu'importe, dit-il. Au contraire ! » Il insiste encore pour que Curtis reste. Mais T. P... et moi l'obligeons à partir. Il cède.

Inoubliable séance. Gide écoute, les doigts de la main droite enfoncés dans la joue, les yeux mi-clos. La voix sourde de T. n'hésite devant aucune hardiesse. Il n'est question que des enfants qu'ils cherchent, l'un et l'autre, et qu'ils trouvent. En cette semaine sainte, ils n'hésitent pas à aller jusque dans les églises pour les dénicher. « — Tant pis, je lis tout », dit T. P... entre deux phrases. Tout ? C'est, par exemple : « Gide, pour retrouver l'enfant, feint d'avoir soif. Nous entrons... » Ou bien : « Il prend l'enfant et l'offre à Gide. » Gide n'est pas gêné, ni T. Je cache ma stupeur. Parfois, Gide interrompt pour donner une précision. Non, le ciel n'était pas bleu ce jour-là; il n'y avait pas d'eau courante, mais seulement de l'eau en cet endroit; cette phrase est peu heureuse, il préférerait telle autre plus correcte... T. corrige, humblement. Gide le félicite : il n'a rien noté quant à lui de ces heures merveilleuses. Il est content qu'il l'ait fait pour lui (1).

Il y a des scènes très belles. Ainsi celle où l'on voit l'enfant grec baiser la main de Gide, qui représente pour lui, dans cette solitude, et à l'heure où la guerre menace à cause de la conquête de l'Albanie, on ne sait quoi de noble et de beau : « La France ! précise Gide. C'est parce que j'étais Français qu'il me baisa la main. Cela, tu ne l'indiques pas assez. Tu parles aussi de chèvres *lyriquement encornées*. Ce n'est pas tout à fait cela : *bibliquement* serait mieux. Mais l'ensemble du récit est juste de ton et de forme. Tu écris bien. Je te félicite. Cette journée est celle qui, de toute ma vie, me rapprocha le plus, je crois, de l'esprit même de l'Antiquité. Je rendis à l'enfant son baiser. Je baisai sa main ! Quelle erreur ! Je le compris à sa déception, pauvre gosse. Ce qu'il avait attendu de moi, c'était que je le bénisse. Et j'avais fait camarade ! » (...)

(1) Gide devait m'écrire le 11 mars 1940 : «... Seule, une longue lettre de T. P., vient de m'apporter une bouffée de joie. Il a copié pour moi le long récit de notre voyage en Grèce, l'an passé. Connaîtrai-je jamais plus pareil état d'*insouciance* ?... »

V

LA GUERRE

A la caserne Charles Renard de Saint-Cyr, où j'avais été mobilisé, je reçus d'André Gide une première lettre datée de Cabris, 16 septembre 1939, et où il m'écrivait notamment :

J'ai beaucoup pensé à vous depuis que nous nous sommes quittés. Je ne sais, ni ce que la vie nous réserve, ni quand nous nous reverrons, mais vous ne pouvez douter de la place que mon amitié pour vous tient dans mon cœur. Ces deux semaines à Malagar, les conversations et la lecture de votre journal à Chitré, la décade de Pontigny, tout cela a tissé entre nous des liens solides que les tragiques événements où nous voici précipités ne peuvent relâcher. J'étais heureux, avant le grand drame, d'entrer en relations plus affectueusement étroites avec votre père ; je pense qu'il l'a senti comme vous (...) C'est le moment ou jamais de tenir votre journal ; j'en suis à regretter de vous avoir conseillé de l'interrompre ; je rêve à l'accalmie qui nous permettra de le relire ensemble... En attendant, nous plongeons dans la région de l'ombre. Puissé-je vivre assez pour voir tous nos espoirs ressurgir ! De toute mon amitié, pas à pas, je vous accompagne et vous embrasse bien tendrement.

A mon père, André Gide écrivait le 26 septembre : « *Quelle signification prennent aujourd'hui nos jours d'intimité à Malagar ! Vous avez senti, n'est-ce pas, combien ils m'attachaient à vous... Et par la suite, à Pontigny, j'ai pu m'attacher à Claude plus encore.* » Attachement dont témoigna une autre lettre à moi adressée de Cabris le même jour, et où Gide, entre autres choses, me disait : « *Pierre Herbart me transmet votre adresse, dont j'use aussitôt, sans avoir rien de bien neuf ou de bien particulier à vous dire, mais pour que vous sentiez toujours présente et attentive mon affection. (...) Il importe beaucoup de ne point laisser les nuages assombrir notre ciel intérieur, les pensées noires l'emporter sur... les autres ; certains jours, ce n'est pas facile. Puisse mon amitié, si peu que ce soit, vous y aider ! Je tiendrai cela pour grande récompense.* »

Ce fut ensuite une correspondance régulière, dont la meilleure partie était consacrée aux réfugiés, comme le montrent les extraits suivants :

Nice, 14 octobre 1939.

(...) J'ai trouvé de quoi beaucoup m'occuper — des « réfugiés » encore ; mais cette fois, exilés d'Allemagne ou d'Autriche, pour raisons politiques ou « raciales » (c'est-à-dire 80 % de juifs !) — violents antihitlériens, et pour cause, amis déclarés de la France et que les hautes

autorités militaires ont d'abord assimilés à des « prisonniers de guerre ». Gaffe énorme, que l'Angleterre s'est bien
gardée de commettre, qui indigne les pays neutres, et que l'Intérieur (en l'espèce Dubois !) s'efforce de réparer. Je l'aide
de toutes mes forces et y donne tous mes soins et mon temps.

Visité avant-hier le Fort carré d'Antibes, où le
camp dit « de rassemblement ». Je reconnais vaguement
un des prisonniers... « Mais où donc vous ai-je rencontré ? »
— « A Pontigny, Monsieur Gide ! Nous avons passé
dix jours ensemble à la décade des réfugiés. »

Que n'êtes-vous près de moi ! Quel bon travail de
rescapage nous ferions ensemble ! Du moins, il m'amène
à penser à vous constamment.

J'ai correspondu avec votre père au sujet de Giono,
emprisonné, comme vous le savez peut-être, pour « propos
défaitistes ». Heureux de le sentir, ici encore, tout près de
moi. Je parle de votre père, car, pour Giono, je ne puis tout
à fait l'approuver ; mais il s'agit tout de même d'empêcher qu'on le fusille et d'obtenir qu'il soit traité avec
égards. (...)

Nice, 12 novembre 1939.

La question des internés des camps de Rassemblement
ne me laisse pas beaucoup de temps pour vous écrire. Mais
combien souvent je pense à vous, et vous souhaite et vous
imagine auprès de moi, travaillant avec moi à quelques
rescapages. Heureusement, je trouve, en la personne des
commissaires directeurs de la commission de triage et dans
les commandants d'Antibes, des gens parfaits. Et je reste
en correspondance continuelle avec Dubois.

Et tout de même, je me suis (un peu) remis au travail. Bien curieux de savoir ce que vous devenez. « Curieux » n'est pas le mot ; je devrais dire « anxieux ». Je voudrais être sûr que vous ne vous laissez pas submerger par l'ennui, la tristesse, le cafard, comme certains. Un petit billet de vous me ferait plaisir car vous savez que je vous aime bien...

Nice, 19 décembre 1939.

(...) J'ai particulièrement pensé à vous, avant-hier, en lisant dans Le Temps *(je n'ai pu me procurer* L'Officiel) *l'interpellation d'Ybarnégaray à la Chambre : « Il y a, au camp de Gurs, 17.000 miliciens espagnols. Le jour de la déclaration de guerre, ils se sont dressés tous, le poing levé, et pendant des heures ils n'ont eu qu'un cri : « Arriba Hitler ! » Pour les calmer le commandant du camp a dû mettre en position les mitrailleuses. » Et de conclure : « Vous avez annoncé les charrettes. Que se dressent les poteaux et résonnent les rafales des pelotons ! (Vifs applaudissements). »*

Je vous écris cela — oh ! lâchement — et parce que cela me soulage un peu de penser que vous comprendrez (et partagerez peut-être) la détresse morale où cela put me plonger. (...)

Nice, 23 décembre 1939.

Je reçois votre bonne lettre. Ci-joint une de Michel Alexandre — dont peut-être il serait bon que vous donniez connaissance à votre père et que vous voudrez bien me renvoyer — ainsi que ces notes que Giono (avec qui j'ai passé trois jours) a écrites à ma demande, et un informe brouillon de ma réponse à Alexandre.

J'ai répondu à Alexandre que, de toute manière, je me refusais à adhérer à quelque protestation collective que ce soit et que, si je croyais devoir agir (suivant la tournure que prendront les événements intérieurs) ce serait seul et de mon côté — ainsi que je l'ai fait pour le cas Giono (1). (...)

Nice, 8 février 1940.

(...) Comment ne pas penser à vous constamment, en continuant à m'occuper des réfugiés ? Oh ! nous nous retrouverons, n'est-ce pas, par delà ce temps d'épreuves ? Mon amitié pour vous ne peut s'en tenir là... Je ne suis pas bien gai. Crains d'achever ma vie un peu moins optimiste que je ne l'étais il n'y a pas longtemps encore ; ou du moins je ne le suis plus sans effort... Je vais dire des bêtises. Au revoir... Je relis votre exquise lettre avec une profonde émotion, et vous embrasse.

---

(1) Il s'agissait des poursuites engagées à la suite de la publication du tract *Paix immédiate*. Gide éludait. Les corrections laborieuses du brouillon qu'il me soumettait témoignaient de son embarras. Ce passage en résume le sens : dans le fond, les militaires sont dans leur droit; il faut obtenir le silence des accusés et alors « une protestation contre l'arbitraire, le mal-fondé de certaines accusations et l'énormité des sanctions a quelques chances de réussir, ou même simplement d'être prise en considération. C'est aussi seulement ainsi que vous pouvez espérer l'adhésion de personnalités comme Maurois, Valéry, Mauriac, Gillet, etc... qui ont l'oreille des autorités militaires tandis que des noms comme le mien leur sont et restent des plus suspects ». La suite sur ce ton.

Nice, 11 mars 1940.

*Je souffrais de votre silence. J'ai pris cette habitude,
un peu absurde mais où mon affection pour vous trouve
aliment, de vous appeler en consultation imaginaire. Oui, je
trouve quelque réconfort à vous imaginer près de moi quand
je n'y vois plus bien clair ; c'est dire : bien souvent... J'ai
continué à m'occuper des réfugiés ; le meilleur de mon
temps s'effrite en toujours vains efforts, non point pour
obtenir des faveurs, mais simplement l'application de
quelques règlements qui, en eux-mêmes, sont les plus équi-
tables du monde, mais ne sont jamais mis à exécution. On
s'y use. Je me dis que, si j'étais à Paris, je pourrais
davantage... mais une rechute de grippe m'a laissé si fragile,
si sensible au froid, que je redoute le voyage et l'inconfort
d'un appartement ou d'une chambre d'hôtel mal chauffés.
Les lettres que je reçois, du camp de Gurs, en particulier,
sont navrantes. Mon courrier ne m'apporte plus guère que
des cris de détresse et des demandes de secours. Le sentiment de mon impuissance est si douloureux, certains jours,
que j'en viens à souhaiter d'être retiré d'un jeu sinistre où
l'on perd à coup sûr et sur tous les tableaux. Et j'envie
ce travail machinal, si absurde qu'il soit, dont vous me
parlez, mais qui du moins vous mène au sommeil. (...)
J'hésite à vous envoyer cette lettre, plaintive à l'excès ;
mais j'espère que, plus qu'à ma tristesse, vous y serez sensible à mon amitié.*

Nice, *12 mars 1940.*

Je ne sais ce qui m'a pris, hier, de vous écrire une lettre si plaintive. Et l'écrire, passait encore ; mais l'envoyer ! Sitôt après, j'aurais voulu courir après ; et ce matin, je vous récris bien vite. Du moins voyez dans cette lettre d'hier surtout un témoignage de ma confiante amitié. Hier soir précisément, je recevais du camp des Milles, des nouvelles un peu meilleures des internés ; de quoi me faire me reprocher de m'être laissé aller au noir et de vous avoir peut-être assombri, comme si déjà vous n'aviez pas, vous aussi, vos tristesses. Pardonnez-moi. (...)

Nice, *1er avril 1940.*

« J'aimerais que vous me parliez quelques fois de votre travail », me disiez-vous dans votre dernière lettre. Et si je n'y ai pas répondu plus tôt, c'est aussi que je n'en aurais rien pu vous dire. J'étais trop impérieusement requis par l'assistance à donner à des réfugiés et à des malheureux en détresse ; le temps et le cœur me manquaient, et même la confiance, pour une production personnelle. Il n'en était même plus question.

Mais, depuis quelques jours, un peu regonflé par la température plus clémente et enfin rassuré sur le sort de quelques-uns auxquels je m'étais particulièrement attaché, je me suis remis devant le papier blanc et viens d'écrire une assez longue préface pour une réédition anglaise, en un volume, de mes deux petits livres sur l'U. R. S. S. Cela m'a remis en goût, mais pour je ne sais trop quel résultat. J'hésite, je balance et j'accueille avec empressement tout ce qui vient me distraire de moi-même, pour qui je suis devenu terriblement difficile et méfiant.

Que je suis heureux d'apprendre que la N. R. F., *que Paulhan vous accueille ! Puisse-t-il ne pas trop vous, et nous, faire attendre ! Je suis extrêmement impatient de lire vos* Précisions sur l'Enfer. *J'espère que vous ne vous en laisserez pas imposer par Fraigneau, ni par C. lui-même qui va tâcher de torpiller votre livre.*

Eu plaisir à lire, hier, votre réponse à « Ce qu'ils lisent » dans Le Figaro. *Elle est de même sonorité que les lettres de jeunes mobilisés que je reçois. Chacun d'eux se plaint de la « médiocrité d'une vie sans histoire » et certains en sont profondément démoralisés. (...)*

Vers cette époque, j'écrivis à la demande de Jean Paulhan les pages suivantes, qui devaient paraître dans un numéro spécial de la *N. R. F.* consacré à André Gide. Les événements de juin 1940 en empêchèrent la publication :

A la place que je lui avais assignée, en ce temps de mon adolescence où je le lisais pour la première fois, André Gide voisinait avec Gœthe et Socrate. Évaluation spontanée des valeurs, fondée à vrai dire beaucoup plus sur une équivalence de prestige que sur une quelconque égalité dans l'ordre de l'absolu, et dont je ne songe à tenter ici ni la critique ni la défense car seule m'importe la désarticulation du temps qu'elle impliquait. Je savais Gide vivant dans la même ville que moi, je le savais ami d'êtres qui m'étaient proches et dont je ne pouvais mettre en doute la présence actuelle, mais une certitude plus forte, née d'une logique particulière, ôtait à cette connaissance toute valeur. Le Gide que j'avais appris à aimer grâce à ses livres n'avait pas d'existence imaginable : contemporain de tous les types divers en qui l'humanité s'était le mieux exprimée, il se situait hors de l'espace et de la durée, dans une réalité qui n'avait avec la réalité nul rapport. Si bien que le soir où je le reconnus, au café du Rond-Point, dans le voisin de table que m'avait donné le hasard, je fus saisi d'une stupeur émerveillée, comme à l'approche d'un miracle.

Où trouvai-je la témérité de l'aborder ? Sans doute obéis-je alors à un impératif dont nulle pudeur, nulle timidité ne pouvaient balancer l'exigence, à cette indiscutable nécessité de profiter d'une occasion unique, de ne pas me dérober devant une faveur du destin. Gœthe ou Socrate, certes, mais tout aussi bien, Érostrate, Peregrinos ou Gilles de Rais — car il s'agissait pour moi du pittoresque de la célébrité et non pas de ses fondements métaphysiques ou moraux — auraient-ils surgi de l'éternité, l'espace d'un instant, que je me serais ainsi levé, les bras ouverts, le visage rayonnant, sans craindre une rebuffade ni même un mouvement d'humeur, tel le voyageur perdu dans la solitude d'un pays étranger et qui se précipite vers le compatriote dont son accent lui a révélé soudain l'origine.

Je le revis. Il me semblait naturel maintenant de le rencontrer, de lui parler, d'en être reconnu. Mais si je m'habituais à ce qui m'était d'abord apparu comme une grâce, je n'oubliais pas une minute qu'il était André Gide. Toujours sur le qui-vive, sans m'abandonner jamais, je l'écoutais avec l'attention indiscrète d'un mémorialiste faisant un sort à ses moindres mots, les interprétant à l'aide de ce que je savais de lui, de ses goûts et de ses dégoûts. En présence de telle ou telle phrase qui me paraissait révélatrice d'un état d'esprit bien gidien je me sentais agité d'une joie un peu perfide. La gloire dont je savais cet homme revêtu me laissait toute licence de le juger ; elle me permettait même d'avoir à son sujet des pensées peu respectueuses sans que je crusse attenter pour cela à son inaccessible grandeur. Cette liberté intérieure témoignait de l'inaltérable prestige que Gide avait pour moi ; elle était aussi une preuve de mon absolu manque de confiance et d'abandon à son égard.

Je n'évoque pas sans gêne cette époque, aujourd'hui où l'amitié la plus vraie, un peu farouche encore et nuancée d'une déférence jalouse, me lie à André Gide. Mon sentiment passé, né de la littérature et nourri tout naturellement par elle de sécheresse et de curiosité ne saurait pourtant me surprendre. Bien plus étonnante apparaît la fraîcheur de mon affection présente. Si grands étaient les abîmes qui nous séparaient qu'ils nous empêcheraient toujours, semblait-il, d'être amis : son âge, d'abord, et le mien ; puis l'éminente place qu'il tenait dans les lettres, sa gloire, sa légende aussi, plus prestigieuse encore mais, par d'autres côtés, si inquiétante qu'au moment où elle attirait par son mystère elle éloignait par son étrangeté. Comment espérer pouvoir jamais lui parler autrement qu'avec un respect balbutiant, une humble mais défiante réserve ? Il n'appartient pas à un souverain, quelque secrète envie qu'il en puisse avoir, d'établir, en dépit de la disproportion du rang, des contacts directs. Trop de lois, d'habitudes, de préjugés s'opposent à ce que les rapports soient placés sur le plan de l'égalité humaine où chacun, aussi riche ou aussi pauvre qu'il soit — à la fois riche et pauvre, mais par des côtés divers — offre sans arrière-pensée ce qu'il possède en échange d'autres biens. Il en *va différemment, j'en fis moi-même l'expérience, si ce seigneur s'appelle André Gide.*

Il me devenait chaque jour plus proche, mon admiration elle-même ne suffisant plus à nourrir cette amitié neuve, gonflée de reconnaissance, si compréhensive qu'elle assimilait ce que cette autre nature avait de particulier. Et Gide, très simplement, tentait aussi de me joindre. J'oubliais bientôt en lui parlant qu'il était célèbre ; j'oubliais son âge et ce qui dans sa vie heurtait l'expérience que j'avais moi-même de la vie : il ne savait plus que j'étais un obscur jeune homme. S'il y avait une différence encore, entre nous deux, elle tenait à sa jeunesse. Cet endurcissement qu'apportent les années, ce renoncement qui va sans mérite puisqu'il est accepté sans douleur, Gide, à soixante-dix ans, n'en a pas subi la contamination : sa curiosité, souvent, m'est un reproche et cet appétit qui l'entraîne vers la vie, cette ardeur à ne rien négliger de ce qu'elle peut offrir d'agréable ou de beau. Le cheminement d'un insecte entre les herbes de la prairie, une fleur cueillie sur le bord du chemin, le sulfate dont est souillée l'argile au pied de la vigne, sollicitent son attention, la retiennent, la comblent. Ce pays que je lui fais visiter, mon pays, il me le découvre. Pas une église de village où il ne trouve un intérêt, pas un paysage qui, d'une certaine manière, ne le satisfasse. Flânant dans les rues de ces bourgs girondins, il jette un œil inquisiteur par les croisées entrouvertes, il arrête les inconnus pour les interroger, et s'il lui paraît charmant, il pénètre sans hésiter dans un jardin privé. Indiscrétion merveilleuse, signe d'enrichissement et de vie !

Sa voix animait des livres qui m'avaient jusque là paru désenchantés ; elle réveillait mon esprit, engourdi avant d'avoir rien tenté. Excitation si féconde que je vis encore sur l'élan qu'elle m'a donné. Gide, loin de moi, est sans cesse présent dans mon existence. Je me souviens de ses reproches : je manquais de spontanéité, je manquais de confiance ; j'étais trop paresseux aussi et ma culture, vraiment, ne légitimait pas une telle nonchalance... Et voici mon sang fouetté, mon cœur remué, voici entretenue cette vraie jeunesse, l'appétit spirituel, qui me sauve de la guerre.

La mort, que j'avais crue imminente, n'est pas venue. Soldat dérisoire d'une compagnie sans gloire, je pense avec un peu de gêne aux pathétiques adieux de la mobilisation générale, à cette séparation d'avec Gide sur le quai de la petite gare de Pontigny. Mais cette lutte que le désespoir ne rend plus nécessaire, il me faut la mener contre l'engourdissement. Là encore, quel exemple nous donne Gide à nous que la médiocrité menace et qu'étouffe l'égoïsme... Ne s'est-il pas interdit le repos et même la solitude, si féconde au travail personnel et à laquelle son génie lui eût donné tant de droit ? Depuis des années, il offre son temps et sa vie intérieure elle-même aux hommes à qui la misère défend de connaître cette joie de vivre qui fut sa première découverte. Il a choisi les plus déshérités : ces réfugiés chassés par un pays ennemi et trop souvent, hélas, traités par nous en ennemis. Sa joie s'est faite dépendante de la leur ; il ne peut plus être heureux s'ils souffrent. La conscience de son dévouement ne suffit pas à lui donner la paix. Le pharisaïsme ne fut jamais son fort. Aussi lui arrive-t-il, au terme de journées exténuantes, de lancer à ses amis des appels déchirants. A ses jeunes amis qui sont tellement indignes de lui mais qui savent que la vérité est dans la voie qu'il leur indique.

Grandeur d'un homme en qui chaque génération trouve le principe de ses plus actuelles aspirations. Ajoutons à

*son ancienne leçon de sincérité celle que nous donne aujour-
d'hui sa charité vivante. Si Lafcadio ne nous est plus
d'aucun secours, Gide reste, qui demeure notre maître. »*

(Avril 1940.)

A l'envoi de ce texte, André Gide me répondit le
27 avril 1940 :

Mon cher Claude,

*Vos deux lettres et votre manuscrit sont venus gentiment
sourire à mon retour à la vie. Ne dramatisons pas ; pas
un instant je n'ai été « en danger », mais ces vingt-quatre
jours de lit (je vous écris couché encore) et de diète sévère
m'ont amené et maintenu assez longtemps près du non-être,
plus que je n'en avais encore jamais approché. J'ai pu me
lever pourtant, avant-hier, pour que la radiographie achève
de rassurer le docteur sur l'état de mes reins. La crise
néphrétique dont je viens de souffrir n'aura vraisembla-
blement d'autres suites ou conséquences qu'une cure à
Contrexéville cet été, et un régime très strict d'ici là. La
morphine, dont j'ai fait connaissance à cinq reprises, m'a
déçu. Il est vrai que je n'en ai usé qu'à faibles doses.
Somme toute, je m'en suis tiré à très bon compte, gardant
sans cesse l'impression qu'on peut souffrir bien davantage.*

*N'empêche ! Sur ce fond saumâtre, votre témoignage
d'amitié prenait une valeur exquise et particulièrement
réconfortante. Par moment, en vous lisant, je me demandais :
est-ce vraiment de moi qu'il s'agit ? Car vous le savez, je
crois, je manque d'admiration pour moi-même ; mais du
moment que la vôtre ne nuit pas à notre amitié, tout va*

bien... Trop faible et fatigué pour vous écrire plus longuement. Ceci pourtant. A votre phrase : « ... cette ardeur à ne
rien négliger de ce qu'elle peut offrir d'agréable ou de
beau », je souhaiterais que vous ajoutiez : d'instructif. »

Les événements se précipitèrent. Et ce furent les
lettres suivantes :

> La Conque, Vence, A.-M.
> 31 mai 1940.

Mon cher Claude,

Ma pensée ne vous quitte guère. Je me souhaite près de
vous, en dépit de ce que vous me dites... Du reste, à présent, presque tous ceux qui me sont chers sont menacés ;
oui, vraiment, je ne connais guère que T. P. pour être à
l'abri ; M. L. est en première ligne, et mes neveux. Je
reste sans nouvelles de Jef Last que je savais à Amster-
dam et que son dernier livre désignait très particulièrement
à la vindicte des envahisseurs. Ainsi que mes amis Bussy
qui m'ont accompagné à Vence, je suis décidé à attendre
ici, malgré les pressants conseils de Dubois. De même mon
beau-frère Drouin et ma belle-sœur se cramponnent à
Cuverville après avoir expédié de l'autre côté de la Seine tous
les jeunes qu'ils hébergeaient. On vit au jour le jour, dans
une attente angoissée, en dépit de tout pleine d'espoir.

De quel cœur je vous embrasse, mon cher Claude ! Quels
vœux je forme sans cesse ! Ah ! Malagar, ah ! Pontigny !
Comme je me sens avec vous, près de vous, malgré tout.
Puissiez-vous puiser quelque réconfort dans l'assurance
de mon amitié profonde et fidèle.

> A. G.

Hôtel Grande-Bretagne, Vichy (Allier).
12 juin 1940.

Mon cher Claude,

Ma pensée va vers vous, plus fidèlement et plus tendrement que jamais, lors de ces journées si chargées d'angoisse. J'en suis à douter si cette lettre vous atteindra ; et avec combien de retard... De toute mon amitié, je vous souhaite bon courage, bonne patience et bon espoir.

J'ai lu hier avec la satisfaction la plus vive vos remarquables pages sur Cocteau (1). C'est excellent et dépasse ce que je pouvais espérer.

Je vous embrasse et suis avec vous de tout mon cœur.

André GIDE.

Ginoles-les-Bains, par Quillan, Aude.
3 juillet 1940.

(A mon père.)

Cher Mauriac,

Les journaux annoncent que les relations postales sont rétablies dans les régions du Sud, jusqu'à Bordeaux. (Avec quel serrement de cœur j'avais vu la carte qui montrait l'occupation englobant Langon !) (2). J'ai donc espoir que cette lettre vous parvienne. A cause de mes changements d'adresse, je n'ai plus de nouvelles de personne, depuis

---

(1) Il s'agit d'un extrait de mon essai sur Cocteau paru dans ce qui devait être le dernier numéro de la (vraie) N. R. F.

(2) C'était hélas ce renseignement qui se trouvait être exact.

près d'un mois. Sans doute Claude m'a-t-il écrit ; mais ma correspondance reste embouteillée à Vichy, où je m'étais d'abord réfugié. Je ne sais plus comment l'atteindre, sinon à travers vous, et reste bien anxieux à son sujet. Combien je vous serais reconnaissant d'un mot de vous qui me rassurerait.

Toutes communications sont, pour longtemps encore, impossibles avec Cuverville où étaient restés les Drouin, mes nièces et mes petits-neveux. L'aîné des fils, mon filleul, pris dans la retraite de Dunkerque, avait pu envoyer une dépêche de Londres, et, depuis, plus rien. Plus rien de son frère, que je savais pareillement exposé.

Êtes-vous à Malagar avec les vôtres ? Je le souhaite. Si, comme je l'espère, vous pouvez atteindre Claude, ayez la gentillesse de lui donner mon adresse. Il me tarde après vous, après lui, et de vous savoir bientôt de nouveau réunis.

De toute mon amitié je pense à vous et reste fidèlement votre

André GIDE.

Ginoles-les-Bains, par Quillan, Aude.
13 juillet 1940.

Mon cher Claude,

Du moins vous êtes en vie. La lettre de votre père que je recevais hier, en réponse à mon anxieuse demande, me l'apprend et me donne votre adresse. Il me dit que la lettre que je vous avais envoyée à la « Formation A. S. P. 13.790 » vous était bien parvenue. Mais que d'événements, depuis !

Écrivez-moi, je vous en prie. Je suis encore ici pour une

dizaine de jours et compte, ensuite, rejoindre ma fille et mes amis (Madame Van Rysselberghe, les Herbart, Madame Mayrich et les Simon Bussy qu'elle héberge) à Cabris (par Grasse — Alpes-Maritimes). Où en êtes-vous ? Quels sont vos projets ?... Ah ! que j'aurais de plaisir à vous revoir !

    De plein cœur avec vous.

André GIDE.

Cabris, 14 août 1940.

Mon cher Claude,

    Je profite aussitôt de la valable adresse que tu me donnes (1); me désolais de ne pouvoir répondre à ton billet d'avant-hier, trop bref mais lourd d'une amitié qui me réconforte ; envoyer à mon tour un affectueux message ; et non seulement pour toi, mais aussi pour ton père et tous ceux de Malagar ; et non seulement de moi, mais aussi de Roger Martin du Gard et de Jean Schlumberger qui sont à Cabris près de moi pour quelques jours. Puis l'un retournera à Clairac, près de ses frères ; l'autre à Nice (Cité du Grand Palais, 2, boulevard de Cimiez) près de sa femme. Tous vont bien et, somme toute, il y a peu de morts à déplorer. (Celle de Blaise Desjardins pourtant, tombé en juin.) L'un après l'autre les disparus se retrouvent ; même ceux que l'on pleurait déjà. Mes deux neveux, les fils de Marcel

---

(1) Mes sœurs Claire et Luce passaient la ligne de démarcation et nous rapportaient clandestinement à Malagar le courrier que nous nous faisions adresser poste restante à Saint-Pierre d'Aurillac, en zone libre. D'où cette lettre de Gide, accompagnée d'un petit mot transmettant à Luce Le Ray, destinataire officielle de cette correspondance, « ses plus souriants hommages ».

Drouin, sont sains et saufs, échappés à l'enfer de Dunkerque et retour d'Angleterre. Ont-ils pu regagner Cuverville où s'est cramponné le reste de ma belle-famille ?
Je ne sais. Toutes communications avec la Normandie sont
interrompues. L'occupation fait entre les deux parties
de la France un dénivellement profond et pas seulement
matériel. Ici nous vivons dans une région particulièrement
favorisée ; mais maints récits nous parviennent que nous
buvons avidement. La maison de Madame Mayrich
qui m'héberge avec Jean Schlumberger et Marie Delcourt,
n'est distante de celle de Pierre Herbart que de huit cents
mètres, et nous voisinons quotidiennement. Le samedi j'y
retrouve ma fille Catherine qui s'est fait recaler à son premier bachot et que j'ai confiée à une bonne pension-chauf-
foir de Vence — où je viens de passer douze jours. J'y ai
beaucoup fréquenté Claude Bourdet et sa femme, qui,
comme moi, comme nous, s'étaient beaucoup occupés des
réfugiés. Mais à présent l'on ne peut plus rien pour eux,
ou très peu ; notre activité même nous a rendu suspects, et
l'on nous tiendra à grief le peu que nous avons pu faire
pour eux. M. M., le converti, ami de Ch. Du Bos, qui était
avec nous à Pontigny, s'est engagé à la Légion Étrangère,
du reste réformé dès son arrivée à Sidi-hel-Abbès.

Le tutoiement est venu tout naturellement sous ma
plume (excuse-moi) ; il était depuis longtemps déjà dans
mon cœur. Ah ! que j'aurais plaisir à te revoir. En attendant, ces quelques nouvelles ; quant aux réflexions sur la
situation, je pense que nous faisons à peu près les mêmes.

Heureux des bonnes nouvelles que tu me donnes de
Davray. Si tu peux l'atteindre, transmets-lui mes affectueux messages. J'ai pensé à lui bien souvent. Je ne sais
rien de Blanzat. M. L. était encore dernièrement 3ᵉ Com-

*pagnie, 5ᵉ Régiment d'Infanterie, à Saint-Flour, Cantal.
Quant à T. P., toujours en Grèce, excellentes nouvelles
de lui.*

Assez pour aujourd'hui. Je t'embrasse bien fort.

André GIDE.

25 novembre 1940.

Mon cher Claude,

*J'ai bien reçu votre excellente carte du 16 novembre, et
me sens bien près de vous, de cœur et de pensée. Ne doutez
pas de ma constante affection. J'avais confié à G. G. des
Feuillets, péniblement extraits de mes carnets de route,
pour ouvrir un numéro de reprise de la N. R. F. mais je
crois que cet essai de résurrection vient de recevoir un funeste
croc-en-jambe. J'arrive à m'en féliciter, étant donné les
circonstances et la fâcheuse interprétation que l'on pouvait
donner tant à cette reprise qu'à mon concours. Ah ! qu'il
me serait doux de vous revoir ! Mes souvenirs chaleureux
à tous les vôtres.*

Fidèlement votre

André GIDE.

(Carte inter-zone, dite familiale.)

Cabris, 11 juillet 1941.

*Cher Claude. Quelques nouvelles de vous et des vôtres me
feraient un vif plaisir. Je vis à Cabris comme en ballon
captif, tâchant d'imaginer ce que peuvent penser les amis
épars. Quelques lectures ; travail à peu près nul. Attente !*

*Et ne savoir même pas si vous êtes à Malagar ou à Paris !
Et votre père ? Je pense à lui souvent (et à vous). Dites-le-
lui, et qu'il est un de ceux que j'aurais le plus souhaité
revoir.*

André GIDE.

(Carte inter-zone.)

Cabris, le 28 juillet 1941.

*Par même courrier en bonne santé je reçois une excellente
carte de votre père et la vôtre où de si heureuses nouvelles
de votre état moral. La communique à R. M. Gard.
Quitte Cabris demain pour vingt jours. Au dos, mon
adresse (André Gide, Les Palmeraies, La Croix-
Valmer, Var). Pense hiverner à Nice. Grand désir de
travail. Me sens complètement remis des défaillances
premières, et regonflé. Compte sur vous de tout mon cœur.
Sans nouvelles de T. P. mais ne pense pas qu'il y ait lieu
de s'inquiéter. Silence forcé. Grand désir de vous revoir ;
mais aucun de rentrer à Paris. Sachons attendre et relisons
la parabole des vierges sages. Sentez-moi bien fidèlement
et constamment de tout cœur avec vous.*

André GIDE.

(Carte inter-zone, à mon père.)

Cabris, 29 juillet 1941.

*Cher ami. Fort ému de recevoir par même courrier
votre excellente carte et une de Claude. Vais lui écrire.
Oh ! certes non, je ne vous oublie ni l'un ni l'autre ! Avons-*

254

*nous jamais eu plus besoin d'amitié ? Si heureux de me
sentir souvent si près de vous et « jetés dans le même sac ».
Complètement ressaisi, regonflé. Me réjouis de lire* La
Pharisienne. *Ah ! je voudrais bien vous revoir ! Bien peu
nombreux sont ceux à qui je puis dire cela ; sur qui pouvoir
compter. Très fidèlement votre*

André GIDE.

(Carte inter-zone, à mon père.)

*Hôtel Adriatic, Nice.
6 octobre 1941.*

Cher Ami,

*Avec quel intérêt, quels frémissements parfois, j'ai lu,
j'ai dévoré* La Pharisienne ! *Quelle joie de passer avec
vous ces quelques heures, et comme je me sentais près de
vous ! fût-ce pour m'opposer à vous, parfois... mais si peu.
Ne m'oubliez pas trop, je vous en prie et transmettez à
Claude mes plus affectueux souvenirs. J'hiverne à Nice et
m'efforce de travailler, sans résultat bien appréciable. Je
vous envie ce livre, ceux qu'il annonce et nous fait espérer.
C'est surtout d'espoir que je vis, par ce temps d'épreuves.
Celui de vous revoir est vif, et je veux que vous me sentiez
très fidèlement votre*

André GIDE.

(Carte inter-zone, à mon père.)

Hôtel Adriatic, Nice.
13 décembre 1941.

Cher Ami,

Je viens de lire une étude sur vous qui me paraît fort bonne. Elle est signée Pierre Jaccard ; j'espère qu'on aura pu vous envoyer, de Suisse, le numéro des Cahiers Protestants *où elle a paru.*

Combien souvent je pense à vous et à Claude ! Que devenez-vous ? Que devient-il ? Quelle dure épreuve que cet éloignement, ce silence ! Du moins, ne cessez pas de me sentir de cœur et de pensée, bien près de vous.

André GIDE.

Hôtel Adriatic, Nice.
17 avril 1941.

Mon cher Claude,

Votre carte m'a fait du bien après ce trop long silence. Quelques lignes d'And. Dub. vous disaient tout retraité ; j'en étais à ne plus oser vous écrire. Vous vous enfonciez dans l'ombre. A la tristesse que j'en éprouvais, je mesurais mon affection pour vous — et à la joie que votre message m'apporte. J'ai besoin de vous sentir vivant et là. T. P. est près de l'Acropole. Ses cours, leçons et lectures remportent le plus grand succès. M. L. est venu me voir à Nice. C'est par lui que j'ai eu des nouvelles de l'exilé.

Je compte m'embarquer à la fin du mois pour la Tunisie, où travailler plus tranquillement que je ne puis faire ici, sans cesse dérangé par des importuns. Bon travail, mon cher Claude ; ne doutez pas de mes sentiments bien fidèles.

André GIDE.

Et puis ce fut le silence...

VI

L'APRÈS-LIBÉRATION

lui ! *Veuillez lui redire, s'il est à Paris, mon affection profonde ; et vous, cher ami, ne doutez point de mes sentiments bien fidèles.*

Votre

André GIDE.

Je retrouve dans mes papiers le brouillon de la lettre que j'écrivis alors :

Paris, le 4 janvier 1945.

Cher André Gide,

Je ne chercherai pas à m'excuser de ce silence qui s'est prolongé si longtemps, alors que les événements me permettaient depuis quelques mois de le rompre. Je me réveille à peine, et avec moi tous les Français, de la stupeur de la libération et des péripéties qui l'ont accompagnée et suivie. A vrai dire, je n'avais jamais cessé de penser à vous, au cours de ces interminables années, ni au miracle de notre amitié. Et l'une des joies de la délivrance fut la possibilité qui m'était redonnée de vous joindre. Si je n'en ai pas usé plus tôt, c'est d'abord comme je viens de l'écrire, à cause de l'ahurissante vie qui fut la mienne depuis le mois d'août, mais c'est aussi par une sorte d'impuissance. Je m'aperçus que ce qui me séparait de vous, bien plus qu'une quelconque entrave matérielle, c'était moi-même, et vous-même. Si rapides et si brefs furent les mois de notre amitié, si étendues dans le temps les années qui la précédèrent et celles, de séparation, qui en suivirent la naissance et le développement, que je n'arrivais plus tout à fait à y croire. Encore maintenant, il me faut faire un effort pour rompre ce sortilège.

Mais je ne puis pas différer plus longtemps ces quelques paroles que j'ai à vous dire, et d'abord celle-ci : que votre place est conservée, que tous vos amis vous attendent, qu'ils ont été unanimes pour juger comme il convient les procédés malhonnêtes d'Aragon. A vrai dire, malgré le violent désir que j'ai de vous retrouver, je ne vous conseillerai pas de rentrer tout de suite : les passions sont à leur comble, le sang né du sang, la haine née de la haine, contaminent et souillent la pure joie, le merveilleux bonheur des premiers jours de la France libérée. Cette mort dans la compagnie de laquelle les moins héroïques d'entre nous ont dû vivre sous l'occupation, elle est là, plus que jamais à nos côtés. Il nous faut plus que jamais vivre dans sa familiarité et je ne parle pas seulement ici de ces combattants dont je ne suis pas. Les pires menaces planent sur mon père. Je n'ai pas peur. Mais aucune de mes pensées ne peut plus être tout à fait la même. Non, demeurez encore, si vous le pouvez, en marge de cette folie. De là où vous êtes, l'histoire qui se fait vous apparaît sans doute déjà avec un certain recul, et non pas seulement avec celui de l'espace. Vous n'en voyez peut-être que la grandeur.

Donc, il y eut les jours prodigieux de la libération de Paris, auxquels je participai à ma place, sans plus de réflexions que n'importe quel autre habitant de ma rue. « Ma rue » étant celle de mon élection et non point celle de mon habitation. A la barricade du Pont-Neuf, j'ai connu la plus puissante joie de ma vie, que seul dépassa le premier contact avec les troupes de Leclerc, et ma première rencontre avec le général de Gaulle.

Car il se trouva ceci : que mon ami Claude Guy sur la vie duquel je m'étais chaque jour anxieusement interrogé au cours de ces quatre années, était devenu l'aide de camp du *général, et qu'il fit appel à moi, le premier soir pour l'aider, car si vite avaient été les événements que de Gaulle arrivait à Paris presque seul. C'est ainsi que je participai d'aussi près que possible aux heures historiques qui suivirent. Et que, n'ayant accepté ce poste, pour lequel je ne me trouvais point qualifié, que provisoirement et pour dépanner mon ami, je me trouve encore au Cabinet du général à ce jour, et chef de son secrétariat particulier.*

De Gaulle, c'était pour nous une voix et un mythe. Et voici que j'étais amené par un prodigieux hasard à vivre dans sa familiarité. Il me fit une telle impression, la joie de la libération était si bouleversante, tant d'événements se produisaient, et si miraculeux, que je vécus dans le plus exaltant des rêves ces premiers mois de la délivrance. Accablé de travail, certes, totalement séparé de moi-même, mais n'ayant pu toutefois étouffer en moi cette lucidité et cette rigueur qui me défendront jusqu'à la fin d'être tout à fait dupe d'un sentiment ou d'une passion, quels qu'ils fussent.

Le temps a passé, et il me faut bien reconnaître que la plus merveilleuse aventure, celle de la France sauvée, n'a pas échappé aux imperfections de tous les événements humains. Les condamnations à mort, les errements de la Justice, les mensonges de la politique, les hypocrisies, la faiblesse des institutions et la bassesse des hommes, toutes les hontes de toujours revinrent, et je m'en sens pour ma modeste part solidaire, et je m'accuse, dans le secret de mon cœur, de trahison. Au nom de la France, oui, je me trahis, et puisque c'est pour elle, puisque c'est elle, malgré tout qui se refait, puisqu'elle doit renaître belle et forte et grande de cette boue, je n'ai pas à le regretter. Aussi bien n'avais-je pas le choix. Un moment vient où l'on ne peut plus se refuser à l'engagement, où il faut se décider à jouer le jeu.

Vous comprenez ces choses, vous qui êtes sans doute celui qui m'avez appris l'honnêteté intellectuelle, qui l'avez apprise à plusieurs générations, qui avez enseigné à plusieurs générations successives ce qui serait leur honneur éternel, si elles avaient su mettre en pratique cette leçon. Mais jamais le mensonge et la mauvaise foi n'ont été si répandus (ex. : l'article d'Aragon).

Tant que les Allemands parurent devoir gagner la guerre, notre existence fut celle des morts vivants. Dans l'Europe qui soi-disant naissait, je savais bien qu'il n'y avait pas de place pour moi, que jamais plus je ne pourrais consentir à publier une ligne. Et bien longtemps encore après que fut certaine la défaite nazie, les nazis demeuraient chez nous. Et il fallut continuer à se taire, et à force de se taire on oublia qu'on savait parler. Pour ma part, je ne me souvenais plus que c'était en raison des circonstances et par un choix délibéré que je vivais obscurément. Si bien que la pleine lumière de la liberté et ce qu'elle me révéla de moi-même me stupéfia. Oui, je m'étonne chaque jour encore de remplir une fonction sociale, et pas plus mal que beaucoup d'autres.

Je m'excuse de vous parler ainsi de moi. Mais que pouviez-vous attendre d'autre ? Je ne dis là qu'une petite partie de ce que j'avais à vous apprendre. Quatre ans dans la vie d'un homme de trente ans et des années de ce poids-là, cela compte.

Je forme pour vous les vœux les plus ardents au seuil de ce 1945 si gros de menaces, encore, et je vous embrasse avec ma vieille et fraternelle et respectueuse affection.

Claude MAURIAC.

André Gide me répondit le 3 février 1945 d'Alger, sur papier à en-tête de l'*Arche* :

Mon cher Claude,

*Si votre excellente lettre, annoncée par votre père et très attendue (datée du 4 janvier, elle ne m'est parvenue que ce matin, 3 février !) a beaucoup tardé, par compensation (ou « en récompense », comme on disait au XVII*e *siècle) j'y veux répondre tout de suite et sans laisser refroidir la grande joie qu'elle vient de m'apporter. Cette joie vient aussi de vous savoir dans l'entourage immédiat de de Gaulle qui, par son rayonnement, sa sagesse et son admirable action, parvient à triompher de toutes les oppositions. C'est la grande chance, et l'on dirait : providentielle de la France d'avoir été secourue et guidée par un homme d'aussi réelle et incontestable valeur. Même Saint-Exupéry, si obstiné d'abord dans le refus, en venait à le reconnaître. J'ai pris plaisir et cru de mon devoir de le dire dans l'article sur Saint-Ex, que je viens d'envoyer au* Figaro. *Je crains un peu de m'être mal fait voir de lui (du général) la seule fois qu'il m'a été donné d'avoir une conversation particulière avec lui, en prenant, et fort maladroitement, ou tâchant de prendre la défense de Maurois. Mais combien heureux d'avoir écrit dans mon Journal, à la date du 24 juin 1940 : « Comment ne pas donner de tout cœur son adhésion à la déclaration du Général de Gaulle ? » — passage qu'Aragon s'est bien gardé de remarquer. Et depuis cette date mon sentiment n'a fait que s'affermir, tandis qu'il se savait de plus en plus motivé.*

Il me sera bien doux de vous retrouver, mon cher Claude, si peu changé, je pense en dépit de ce que vous m'en dites, mais justifiant les grands espoirs que je mettais en vous. Mais vous avez raison : j'attends pour retourner à Paris que la température (physique et morale ou intellectuelle) se soit faite un peu plus clémente. J'admire et aime votre père de plus en plus d'oser assumer un rôle que les passions déchaînées rendent si dangereux. Avec quelle émotion nous lisons ici ses articles, ceux du moins que nous pouvons nous procurer, déplorant que la diffusion des journaux de Paris soit si imparfaite, si inexistante. Le jour où la poste permettra des envois réguliers d'imprimés à Alger (et en Afrique du Nord — et partout) sera béni.

Combien je suis sensible à la fidélité de votre affection, mon cher Claude ! Croyez-moi, sentez-moi, bien avec vous de tout cœur et de toute pensée. Je vous embrasse bien fort.

André GIDE.

P. S. — *Que devient votre ami Davray ?*

Après quoi, je retrouve trace, dans mon journal — oh ! bien pauvrement, bien tristement, d'André Gide...

Paris, 27 juin 1945.

EN cherchant hier soir dans des anciens carnets de mon journal une référence dont j'avais besoin, j'ai relu de longs passages de ces jours oubliés, notamment de mon été 1939 aux côtés d'André Gide. Je m'étonnais d'avoir perdu la mémoire de si nombreux détails qui avaient présenté dans ma vie une telle importance, et plus encore de me trouver me voir. » Ainsi Gide affecte-t-il un malentendu qu'il est peut-être en train d'inventer et qui replace bien nos rapports sur le terrain assez peu simple qui fut toujours le leur. Cette première prise de contact eut lieu dans les couloirs déserts, alors que retentissaient depuis un long moment déjà les sonneries qui annonçaient l'imminent lever du rideau. Nous nous séparâmes après nous être mutuellement assurés d'un proche revoir.

Revenu aux côtés de mon père aux fauteuils d'orchestre, dans la salle comble où se reconnaissaient les éternels visages du Tout Paris de toujours, je l'aperçus à sa place de balcon, qui se penchait aimablement et demeurait tourné de côté dans une position fort incommode, pour faciliter le travail d'un opérateur qui photographiait non pas lui, André Gide, mais la loge de l'ambassadrice d'Angleterre, Lady Diana Cooper, où trônait Jean Cocteau. (...)

Pendant l'entracte, Jacques Duchesne, dont la radio de Londres nous avait rendu le nom familier, insiste pour que Gide et mon père aillent dans la loge de Laurence Olivier. Il importe, selon lui, que deux grands écrivains français viennent saluer ce grand comédien anglais. Or, ils furent reçus assez froidement par l'acteur, quasiment nu, qui ne semblait pas avoir très bien compris quels étaient ces messieurs qui venaient le voir. Fausse manœuvre de Duchesne, que mon père a raison de reprocher à ces Français tellement épris de l'Angleterre qu'ils ressemblent un peu à ce qu'étaient nos collaborationnistes d'autrefois vis-à-vis de l'Allemagne.

Paris, 7 juillet 1945.

Il y a cinq ans, j'aurais pieusement recueilli chacune des paroles que me dit Gide, hier, et commenté avec respect ces révélations : sa découverte du latin auquel il s'est patiemment remis, y consacrant à Alger quatre à cinq heures par jour; son impossibilité de saisir un seul mot, l'autre soir, malgré sa parfaite connaissance (toute livresque) de l'anglais, « du chinois de ces acteurs britanniques »; « son chant du cygne », une œuvre qu'il croit importante...

Je noterai seulement que dans toute cette soirée il n'y eut qu'une minute émouvante (exception faite de l'émotion que me procurait la mort de notre amitié), une seule minute où revécut un peu de cette amitié, sous forme de souvenir, il est vrai, mais pour un instant rendu vivant, ce fut lorsqu'il évoqua avec un véritable attendrissement, nos jours communs de 1939, disant : « Il y a des grands pans de ma vie dont j'ai perdu totalement le souvenir si on ne m'aide pas à les retrouver; tandis que Malagar, Pontigny, Chitré, me demeurent présents dans leurs moindres détails... Et Brantôme ! Vous vous souvenez du déjeuner de Brantôme !... M. Gyps ! Vous n'avez pas oublié ? » Il eut alors, mais alors seulement, son bon sourire d'autrefois, tel que je l'avais reconnu dans les couloirs du Théâtre-Français.

Cinq ans de silence, entre deux êtres, créent des abîmes. J'avais pu juger, le premier soir, André Gide aussi peu changé (et moi vis-à-vis de lui tellement pareil à ce que j'étais) pour cela seulement que nous n'avions eu le temps de n'échanger que de rares propos. Pendant ces quelques secondes de la Comédie-Française, le temps fut aboli, et il nous fut possible de goûter, une dernière fois, la complicité et la parfaite entente d'une amitié, morte pourtant, mais dont il nous était donné un ultime reflet.

J'ai donc passé la soirée d'hier avec Gide que j'avais invité à dîner à l'Interallié. Dès les premières secondes, je compris à une certaine mauvaise qualité du silence entre nous, que l'irrémédiable s'était produit. Je pus toutefois espérer, quelque temps, qu'il s'agissait seulement d'une gêne, naturelle après une si longue séparation. Tandis que nous passions place de la Concorde, je lui dis qu'il avait sans doute revu avec émerveillement et émotion ce Paris adorable. « A peu près depuis l'époque où je vous ai quitté, je me suis quitté moi-même, me répondit-il, et rien ne m'arrive plus qui me touche vraiment. Paris retrouvé ne m'a donc pas ému comme j'aurais pu l'espérer, encore que sa beauté m'ait paru plus parfaite que dans mon souvenir. »

Dans la somptueuse salle à manger de la Maison des Alliés où le maigre repas réglementaire nous est servi, il me faut abandonner tout espoir de revivre jamais cette amitié. Très vite, des malentendus surgissent informulés, à peine indiqués, mais pourtant à l'un et à l'autre sensibles. Nous ne marchons plus du même pas ; nous ne possédons plus les mêmes mots de passe ; nos esprits désaccordés ne peuvent plus s'entendre. A propos de la dernière partie de mon livre sur Cocteau, il me dit que ces réflexions

sur la sincérité qui pouvaient encore avoir de l'intérêt en 1939 ne représentent plus rien pour lui. Et
de me faire l'éloge des hommes d'action et princi-
palement d'un aviateur héroïque qu'il connaît (Jules
Roy ?). Il ne peut se douter combien ces nostalgies
et ces admirations me sont familières; mais parce
que (non certes à propos de Jules Roy !) j'ai fait
quelques réserves sur la valeur de l'action détachée
de la pensée (il est bien rare qu'elles aillent de
pair), je sens qu'il se renferme, méfiant et peut-être
hostile. Il y a entre nous ces cinq années d'occupation, et les occupations qui furent les nôtres, nos
actions et nos inactions. Il y a surtout que j'ai vieilli,
et que je ne présente plus en conséquence d'intérêt
à ses yeux.

Il n'y eut quelque détente qu'au moment où nous
quittâmes ces sujets personnels pour évoquer des
problèmes d'ordre moins grave. Nous parlâmes de
Cocteau, d'Aragon, de son journal le plus récent à
lui, Gide, et des interprétations malveillantes que
certains en firent. (...) Sur tous ces points, il ne pouvait être question de se blesser, mais non plus de
se rencontrer et de s'aimer. J'eus beau jeu, sur
l'exemple de son *Journal*, plus que jamais continué
par lui, et publié, de lui faire honte de son mépris
tout verbal de l'introspection. « Il est peut-être vrai,
avoue-t-il, que je ne me suis pas tellement quitté... »

Il fut heureux de profiter de ma voiture pour aller
aux nouvelles chez les Valéry. François nous accueillit dans l'appartement de la rue de Villejust, et de la

maladie de son père il se mit tout de suite à parler, méticuleusement, longuement, comme s'il se fût agi de sa propre souffrance. Madame Valéry arriva, à bout de fatigue et de nerfs, parlant avec une volubilité dont la feinte insouciance faisait mal. Je demeurai seul tandis qu'on introduisait Gide pour quelques minutes dans la chambre où Paul Valéry vit peut-être ses dernières heures. Mon père (qui est allé le voir le même jour), me l'a dépeinte : petite, surchargée, étouffante avec, sur un lit étroit, ce presque agonisant au visage magnifique mais torturé. Quelques toussotements lointains qui ne sont pas toujours ceux de Gide ; la voix de la sœur de Madame Valéry, malade dans la pièce voisine ; un moïse vide ; le jour qui tombe sur les arbres de la cour ; la dédicace de Duhamel à la première page d'un livre pour enfant : « A Paul Valéry, le plus sérieusement du monde... » François réapparaît, son masque diaphane plus livide que de coutume : « Il est odieux de le voir souffrir ainsi... Et cette souffrance lui paraît intolérable à lui aussi, révoltante... Elle lui semble injuste et bête... Et c'est vrai que, délicat, il n'a jamais été vraiment malade... Et c'est vrai qu'il n'a pas fini sa course et que ce qui lui arrive est injuste... »

André Gide revient, le visage assombri. A François, à sa mère, il sait mal cacher la redoutable impression que ce bref tête-à-tête lui a donnée. Cela surtout l'inquiète, et il en fait l'aveu, de n'avoir pu saisir presque aucune des nombreuses paroles proférées à son intention par le malade... Nous demeurâmes de longues minutes encore, à dire des

choses indifférentes, Gide ne pouvant se décider
à prendre congé. Il évoquait le passé, tel ou tel
souvenir de Paul Valéry, aux divers âges de leur
amitié. Puis on reparlait de n'importe quoi. Et
Madame Valéry se montrait stoïquement insou-
ciante, ou disait combien ma mère, dans leur épreuve,
se montrait gentille... (« Elle ne sait qu'inventer
pour me faire plaisir; et moi je suis trop malade
pour rien trouver qui puisse la remercier », aurait
dit Paul Valéry, tout heureux de l'eau de Cologne
qu'elle lui avait apportée.)

Dès que nous nous retrouvâmes dans l'escalier,
Gide me dit que le changement, depuis trois jours
qu'il n'avait vu son ami, était effrayant. « Il semble
trop loin déjà pour revenir... » (Mon père me dira :
« Il en est à ce moment où la mort apparaît sur le
visage, indubitable... ») Dans l'auto, il parle peu,
mais ces quelques mots, proférés à voix basse
entre les rues de Villejust et Vaneau, coupés de longs
silences, se réfèrent tous à la mort prochaine de ce
grand camarade de son âge. Se sachant inéluctable-
ment acculé à cette tragique solitude des heures qui
précèdent l'agonie, sans doute est-ce plus à lui
qu'à son ami qu'il pense alors. Et mes réflexions
suivent la même pente.

Vémars, dimanche, 22 juillet 1945.

Autrefois, j'aurais raconté avec un malin plaisir
le détail de cette visite que me fit Gide à mon bureau
de la rue Saint-Dominique, insistant, certes sur son

dévouement qui le portait à s'occuper avec tant de sollicitude d'un correspondant inconnu, mais aussi et avec quelle délectation ! sur la nature spéciale de cette affaire et les commentaires embarrassés et tout à la fois merveilleusement impudiques de celui qui m'en entretenait. Ainsi qu'il l'écrivait dans la lettre dactylographiée qu'il avait dictée à mon intention et qu'il me remit : « Je crains de ne pouvoir personnellement faire davantage, suspect moi-même et prêtant à dire : « Ah parbleu, c'est un cas digne d'intéresser Monsieur Gide. » Et d'en appeler à moi qui étais à l'abri de tout soupçon de complaisance « pour essayer de tirer de prison ce malheureux » ayant cédé à l'appel d'un « petit professionnel délateur ». Gide ne se fit pas faute de préciser, oralement, la difficulté de sa position en cette affaire : « Vous comprenez pourquoi, n'est-ce pas, je suis le dernier à pouvoir défendre ce pauvre garçon qui a été victime d'un petit truqueur, comme il y en a tant; la victime aussi d'une irrépressible impulsion... » Mais voici que j'en ai trop dit déjà !

Je le revis depuis et dans des circonstances plus douloureuses. C'était avant-hier matin. Je me trouvais dans le bureau de Gaston Palewski où se déroulait la conférence habituelle lorsque ma secrétaire vint me chercher pour « une affaire urgente ». Il s'agissait d'un appel téléphonique de Gide, m'informant que Paul Valéry était au plus mal et qu'il souhaitait une voiture pour aller le voir.

Quelques minutes plus tard, je passais le prendre

rue Vaneau. Rue de Villejust, la porte de l'appartement était entrebâillée : nous entrâmes dans le silence des pièces vides. D'un geste lent et large Gide me montra le petit brin de buis sur la soucoupe que j'avais tout de suite remarquée ; il hocha la tête, plusieurs fois, leva les bras, disant : « C'est mauvais signe... » avec un air curieux et triste... Puis il disparut dans une chambre voisine. Et François arriva dont le visage, le premier geste, la parole qui suivit me dirent tout. Paul Valéry était mort il y avait à peu près une demi-heure.

Je restai seul, longtemps, debout au milieu de la pièce, apercevant dans la pénombre des appartements où je n'avais pas été introduit, les pâles reflets des glaces et des silhouettes furtives... Gide revint, le visage ruisselant de larmes ; il y eut encore quelques colloques à voix étouffées ; puis il me fit signe et nous descendîmes. Au seuil de la rue, la domestique et la concierge pleuraient. Gide dut échanger avec elles quelques paroles. Une de ces femmes parla, non sans quelque complaisance peut-être, de « son pauvre cimetière marin ».

Dans l'auto, Gide me dit : « Cet homme dont on ne connaissait que l'esprit et dont on pensait qu'il n'y avait que cela à connaître en lui, était la bonté même... » Et il évoqua de nouveau la scène si douloureuse de son avant-dernière visite, ce flot de confidences à lui destinées et dont il ne put saisir un mot. « Je ne pense pourtant pas qu'il avait un message à me confier. Il s'agissait seulement, j'imagine, de paroles affectueuses... »

Ce jour-là, je redécouvris Gide. Je veux dire : je

retrouvai pour la première fois depuis son retour,
je revis pour la première fois son cher visage tellement oublié que l'ayant de nouveau eu sous les yeux
je n'avais su le reconnaître. Et me furent rendus
en même temps sa voix, son esprit, son cœur; peut-
être mon affection.

Ce furent, enfin, ces dernières lettres :

> *Hôtel Sarciron, Mont-Dore.*
> *4 août 1945.*

Mon cher Claude,

*J'interromps ma lecture (p. 132) (1) pour vous écrire :
cette remarque de Curtius, que vous citez (à savoir que
Balzac n'a jamais été compris que par les poètes : Brow-
ning, Baudelaire, Hugo, Wilde, Hofmannsthal) m'éclaire
soudain la position prise par Roger Martin du Gard devant
Balzac. A six reprises, j'étais revenu à la charge, à
quelques années de distance, sachant qu'il est de bonne foi
et n'y met aucun parti pris. Tout récemment encore,
devant Simon Bussy qui se montrait émerveillé par* Le
Curé de Tours, *puis par* L'Interdiction *que je venais de
lui conseiller (ce qui me prouvait que, étant donné les goûts
de Bussy, j'avais bien choisi, car il se déclarait incapable
de s'intéresser à un* roman; *mais je le savais fort sensible
à certaines qualités ; celles précisément qui font de* L'Interdiction *et du* Curé de Tours *des chefs-d'œuvre ; et
maintenant je souhaitais le voir se lancer dans* César

(1) De mon *Aimer Balzac.*

Birotteau). « *Je n'y peux rien, disait M. du G. en riant. Poussé par vous et pour témoigner de mon bon vouloir, j'ai pris tour à tour* Le Cousin Pons, Le Père Goriot, La Rabouilleuse, *et* Le Curé de Tours *précisément : tout m'y paraît faux, inventé loin de la vie réelle, conventionnel et rebutant...* » *De sorte qu'il me paraît qu'un intéressant chapitre manque à votre livre (mais je n'ai pas encore lu votre chapitre III où peut-être vous abordez ce sujet)* : « *Ceux pour qui Balzac reste une impossibilité. Ceux qui n'entrent pas dans Balzac.* » *La vraie raison me paraît, en effet, celle que donne* E. R. Curtius. *Inutile d'ajouter que je lis votre livre en y prenant l'intérêt le plus vif. Votre père et vous avez mille fois raison et parlez du* Père Goriot *comme il faut. C'est aussi par là que je conseille à un jeune novice de commencer.*

Je vous sais gré de marquer, p. 96, mon assentiment total, en dépit de toutes réserves et critiques. Il est vrai : Eugénie Grandet, Béatrix *et* Le Lys dans la Vallée, *qui m'avaient d'abord bouleversé, au point de faire époque dans ma « formation », m'ont grandement déçu lors d'une récente relecture : mais sans du tout modifier mon admiration globale pour le grand, l'énorme bon-homme qu'est* Balzac. *J'y reviens assez longuement dans des pages de mon Journal que vous n'avez encore pu lire, à propos de nouvelles plongées dans* La Comédie humaine. *Et, somme toute, me sens pleinement de cœur et d'esprit avec vous qui parlez de cette œuvre colossale excellemment. Pourtant je ne vous suis pas (ou du moins : je ne vous approuve pas) dans ce que vous dites de l'abandon requis (au début, avez-vous du reste soin de préciser) : je ne puis, ni ne veux, me dessaisir de l'esprit critique ; mais de*

*l'épreuve où sombre Madame de Noailles (par exemple)
Balzac sort grandi.*

    Tout attentivement votre

André GIDE.

Excusez-moi de n'avoir pas attendu votre auto, avant-hier : un jeune officier, rentré la veille d'Allemagne, est venu rue Vaneau, juste à pic pour m'emmener gare d'Austerlitz. Je me suis laissé faire : seul moyen de causer avec lui. Mon secrétaire est resté devant ma porte pour expliquer cela à votre chauffeur, et m'excuser. Juste avant de quitter Paris, une lettre de l'avocat, M⁰ S., me laisse espérer qu'il a pu entrer en rapport avec vous...

Hôtel Sarciron, Mont-Dore.
6 août 1945.

    Mon cher Claude,

    J'ai été bien mal avisé de vous écrire avant d'avoir achevé la lecture de votre livre, dont la suite répond à l'objection que je hasardais. Mettons donc que je n'en ai rien dit que des louanges. Ce qui précipitait ma lettre, c'est qu'il me tardait de m'excuser au sujet de la voiture.

    Vous parlez excellemment de Vautrin ; mais seriez-vous comme tant d'autres balzaciens qui n'ont jamais lu le Vautrin *du théâtre — que vous ne citez jamais ? Il me souvient pourtant de quelques déclarations, dans cette pièce, qui vous seraient, me semble-t-il, d'un appoint considérable.*

    La fameuse réplique à Jules Sandeau, je crois bien que c'est de Maxime Du Camp (Souvenirs littéraires) qu'on la tient. Si j'ai bonne mémoire, elle est encore plus surprenante que vous ne la faites : Sandeau ne venait-il pas de perdre sa sœur et c'est, coupant à quelques phrases de condoléances, que Balzac lui aurait dit : « Parlons d'Eugénie Grandet ». (A vérifier.)

A quel point ce grand immoraliste reste inentamé par l'Évangile, peu touché par les vérités chrétiennes et ne voyant guère dans l'Église et le catholicisme qu'un moyen de gouvernement, c'est peut-être ce que vous ne dites pas assez. Il est et reste « de ce monde » et c'est sans doute pourquoi, si grande que puisse être mon admiration pour son œuvre, il m'intéresse, somme toute, si peu. Aucun de ses héros n'a d'âme (vous voyez ce que j'entends par là) mais seulement un cœur, une intelligence et des sens. La partie qu'ils jouent âprement reste sur un plan profane, mondain, où je les suis par sympathie, où je me refuse de me commettre, de me compromettre avec eux. Avec leur « volonté de puissance », s'ils réussissent, cela devient de l'Histoire et n'importe à l'humanité que comme un événement de plus. S'ils échappent dans le mysticisme, c'est avec Swedenborg... ou Mesmer ; combien la recherche de Valéry me paraît plus profitable que celle de Louis Lambert, ce songe-creux ! Ceci soit dit pour l'intellect, et, sur le plan moral, combien moins fermé l'univers de Dostoïevsky !

Mais voici que j'ai l'air de chiner Balzac. Horreur ! ! Je n'en suis pas moins son admirateur et votre ami.

André GIDE.

281

28 septembre 1947.

Mon cher Claude,

J'ai lu votre chronique sur Henri V (1) *avec un intérêt d'autant plus vif que les réactions exprimées par vous ont été fort exactement les miennes. J'avais, moi aussi, pu voir le film avant qu'il ne soit présenté à Paris, et lorsque je l'ai revu avant-hier « je me suis découvert infiniment moins susceptible ». Il faut dire que, lors du premier contact, j'avais été jusqu'à penser : « Dommage ! On ne pourra jamais donner cela en France. C'est odieusement désobligeant. » Mais est-ce bien exactement le même film qu'on nous a présenté au Lord Byron ? N'y a-t-on pas fait d'habiles « coupures » ? N'en a-t-on pas éliminé les passages qui motivaient le mieux notre indignation ?... Question.*

Très cordialement et très attentivement votre

André GIDE.

Paris, le 3 octobre 1947.

Mon cher Claude,

Si fait ! si fait ! Robert Levesque, que j'ai revu hier, apporte quelques précisions à mes souvenirs : c'est avec lui, à Beyrouth, que j'avais pu voir pour la première fois Henri V *(qu'il a revu également). Une longue scène, particulièrement désobligeante pour les Français, a été supprimée : celle qui précède l'envoi des balles de tennis, où*

(1) Le film tiré de la pièce de Shakespeare par Laurence Olivier.

*Shakespeare-Olivier nous montre la Cour du Roi de France
dans toute sa futilité et son arrogance vaine.*

*Combien de fois j'ai failli écrire à votre père, profondé-
ment ému par ses articles du* Figaro *(certains excellents,
admirables) ; si je ne l'ai point fait, c'est par discrétion,
l'imaginant accablé par un trop abondant courrier. Mais
je voudrais pourtant qu'il connût mon attention fervente et
ma profonde sympathie.*

Bien cordialement à vous

André GIDE.

Juan-les-Pins, 6 avril 1950.

Mon cher Claude,

*Que je suis heureux que soient de vous les extraordinaires
pages que je lis ce matin dans* La Table Ronde *(1) ! J'y
cherche en vain (oh ! j'y cherchais sans aucun désir de
trouver) quoi que ce soit qui puisse amener quelque protestation que ce soit dans mon esprit ou dans mon cœur ;
mais sens en moi comme une sorte de conversation qui
s'engage avec vous, en qui je retrouve celui avec qui je
m'entendais si bien naguère, une conversation que je sais
que ma fin même ne pourra pas interrompre. Trop fatigué
pour vous parler comme je voudrais et me sentant, depuis
quelque temps, souvent sur le point de lâcher prise, il
m'est très doux de vous serrer la main avec toute ma vieille
et fidèle affection.*

André GIDE.

(1) Un article sur la *Correspondance Claudel-Gide*.

TABLE DES MATIÈRES

Extrait du Catalogue

Éditions Albin Michel

PRINTED IN FRANCE   ETS. DHUIÈGE, IMP. - BAGNEUX (SEINE)